TABLE DES MATIÈRES

Introduction 4

La coccinelle* (6-8 ans) 6

L'abeille* (4-6 ans) 8

La poule* (4-8 ans) 12

La souris** (5-7 ans) 14

Le petit monstre** (4 ans) 18

Le flocon de neige** (6 ans) 22

La nuit* (4-8 ans) 26

L'evzone, garde grec*** (8 ans) 28

Le garde anglais***
et le groom*** (8 ans) 32

La squaw* (6 ans) 38

La petite Bretonne*** (6 ans) 40

Napoléon*** (8 ans) 44

* Très facile ** Facile *** Pour couturière avertie

INTRODUCTION

De tout temps, l'enfant a aimé se déguiser. Son imagination l'aide à entrer dans la peau d'un personnage qu'il a vu dans une bande dessinée ou sur les images accompagnant ses histoires préférées. Le déguisement lui permet d'être le héros qu'il admire. Il devient son propre modèle, il est le dominateur.

Par ailleurs, l'enfant cherche sa place et son identité dans la société. Il voudrait parfois redevenir tout petit, pour pouvoir se faire cajoler, ou il aimerait être grand, pour pouvoir décider, commander, au lieu de toujours obéir; ou encore, il serait bien un personnage imaginaire, pour échapper à la réalité parfois bien dure du monde dans lequel il se trouve. Le déguisement concrétise cet autre. Il expérimente pour quelques heures les valeurs auxquelles il n'a pas encore droit. Mais, il n'est pas toujours facile pour la maman de trouver des idées de réalisation de costumes.

A cette fin, nous proposons un choix de costumes aussi variés que possible, tant dans le temps nécessaire à la réalisation que dans l'aspect ou le prix de revient. Certains sont très faciles à réaliser, d'autres demandent un peu plus d'expérience en couture. Mais chacun sera un succès. Nos patrons sont conçus coutures (0,5 cm) et ourlets (1 cm) compris.

collection mille-pattes

DĒGUISEMENTS POUR LES PETITS

Créations de Marie-Claude Terrié
Photos de Dominique Farantos
Croquis d'Edith Barker d'après les patrons de l'auteur

*Corentin, Alix, Irène et Solange
ont passé une bonne journée.
Mais qui était le petit monstre ?
Et la poule ?*
*Les Editions Fleurus remercient chacun
de son sourire et de sa bonne humeur.*

FLEURUS
IDEES

Editions Fleurus, 11, rue Duguay-Trouin, 75006 Paris.

mille-pattes

1 - Pliages : contes et fables en Origami

2 - Les empreintes du corps : technique de la bande plâtrée

3 - Nouvelles bougies

4 - Ornements de fête

5 - Déguisements pour les petits

6 - Petits loups, petits masques

A paraître

7 - Les impressions du soleil sur soie et sur coton

8 - Châteaux de sable

LA COCCINELLE

6-8 ans

F'ra-t-y beau demain ?

60 cm de feutrine rouge (dos et devant)
40 cm de feutrine noire
(bonnet, collerette, ronds et bande dorsale).
1,20 m de biais noir.
2 cure-pipes de couleur foncée.

Un sous-pull noir.
Un collant noir.
Des chaussons noirs.

LE COSTUME

Il s'agit d'une cape simplement nouée autour du cou.
Assembler le dos et les devants en feutrine rouge.
Monter la collerette noire sur l'ensemble et piquer à l'encolure.
Coller les 8 ronds noirs avec de la colle spéciale pour tissu, ou les coudre.
Appliquer la bande de feutrine noire verticalement au milieu du dos.
Coudre le biais à l'encolure — les extrémités en seront nouées autour du cou.

LE BONNET

Assembler en les cousant les morceaux du bonnet.
Faire deux petits trous dans la feutrine pour glisser les antennes.
Plier l'extrémité des cure-pipes pour les maintenir à l'intérieur du bonnet et les passer à travers le tissu.

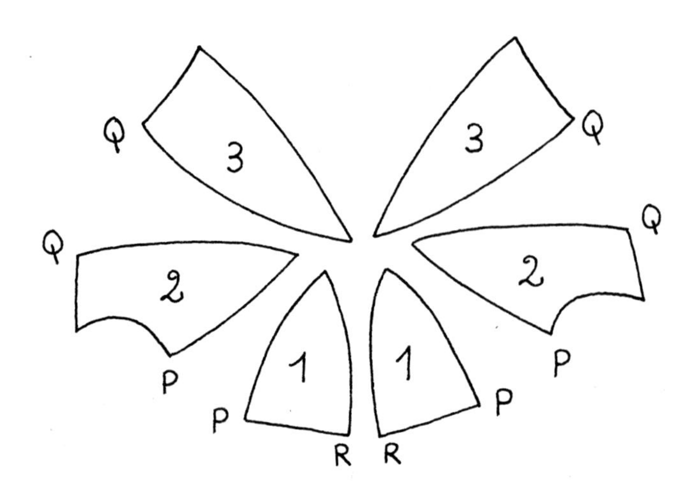

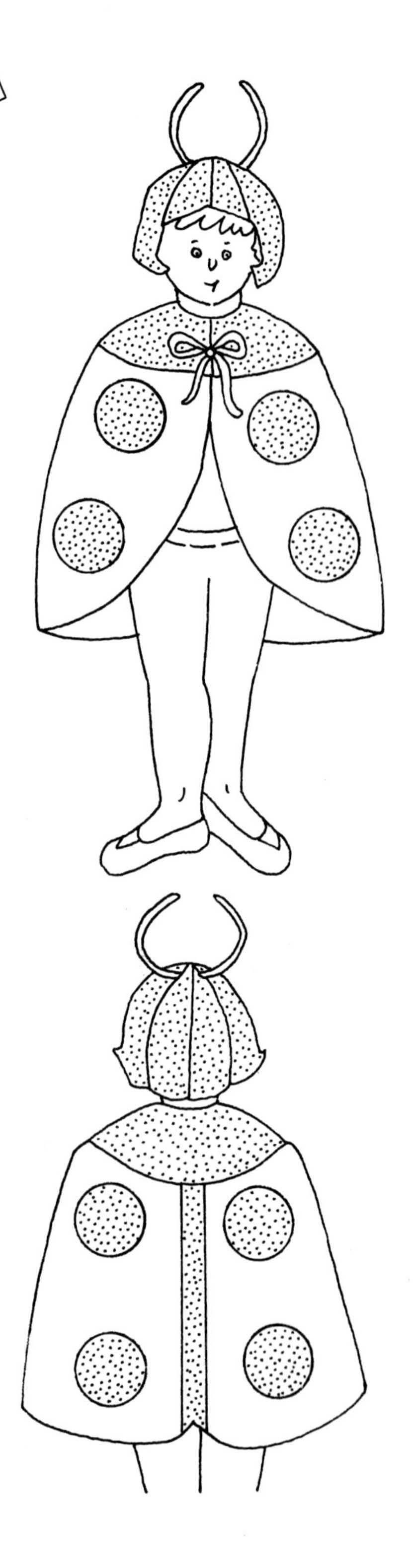

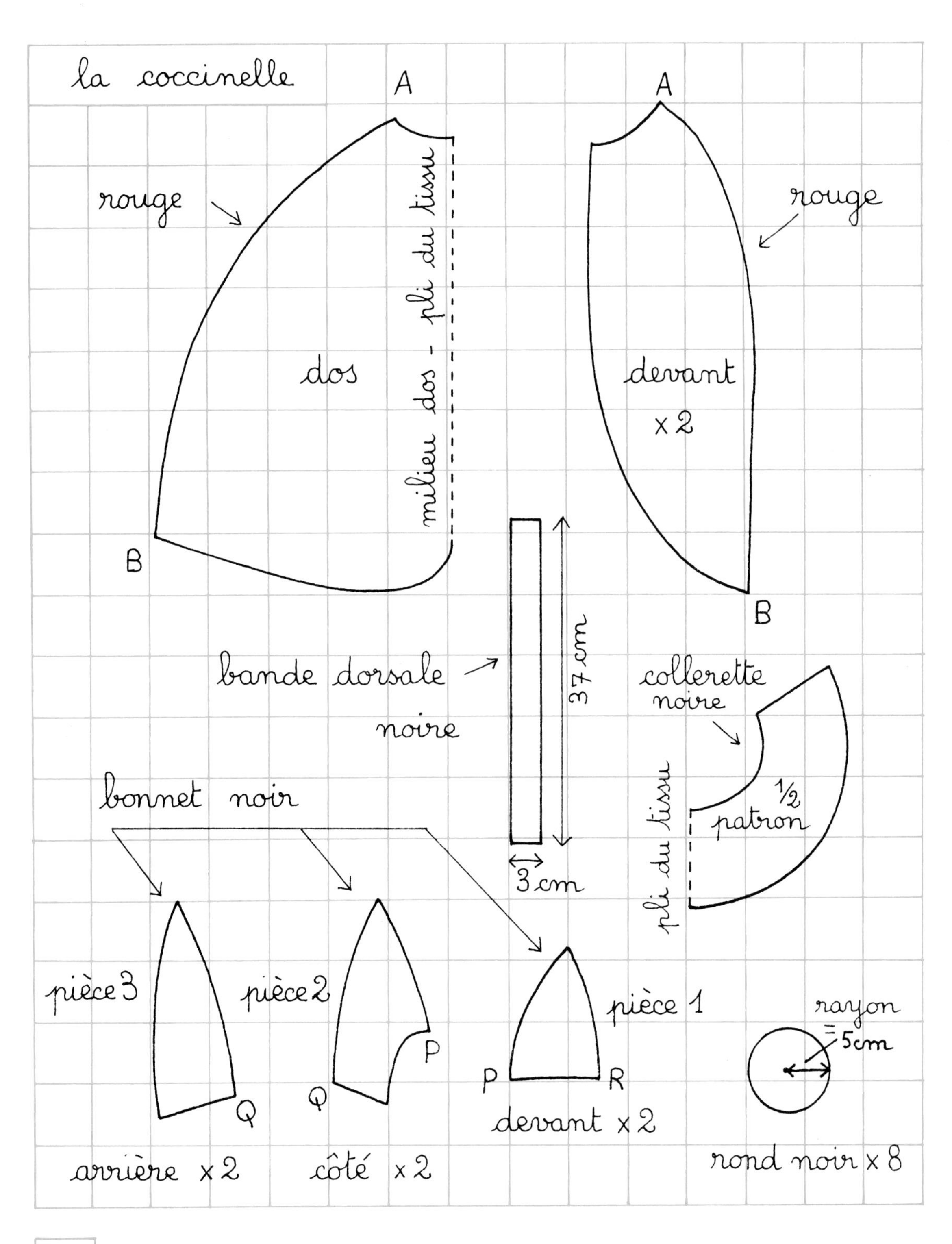
la coccinelle
A
A
rouge
rouge
dos
milieu dos - pli du tissu
devant
x 2
B
B
bande dorsale
noire
37 cm
3 cm
collerette
noire
½
patron
pli du tissu
bonnet noir
pièce 3
pièce 2
P
pièce 1
P
R
Q
Q
devant x 2
rayon
= 5cm
arrière x 2
côté x 2
rond noir x 8

= 7 cm x 7

L'ABEILLE

4-6 ans

Quelle fleur se laissera butiner ?

65 cm x 90 cm de tissu rayé orange et noir.
0,80 cm x 100 cm de tulle jaune, orange ou blanc.
20 cm de tissu ou de feutrine noire (coiffe).
4 boutons-pression.
2 cure-pipes de couleur foncée.
3 m environ de fil de laiton.

Un collant noir.
Chaussons noirs.

LA TUNIQUE

En taillant les différentes pièces de la tunique, attention à bien faire correspondre les rayures.
Coudre les milieux dos et devant, les côtés et l'entrejambe.
Faire un petit ourlet autour de l'encolure, des emmanchures et des jambes.
Ourler chaque épaule sur 1 cm et fixer deux boutons-pression à chacune.
Froncer les ailes par le milieu sur 20 cm ; les fixer au milieu du dos par une couture simple. Pour donner de la tenue, passer un fil de laiton tout autour des ailes en le glissant dans les trous du tulle. Bien protéger les extrémités du fil de laiton en les enveloppant de tissu par exemple.

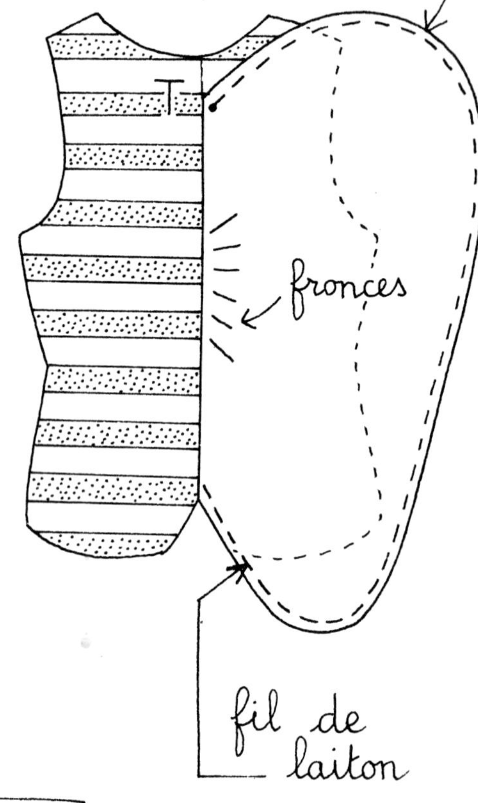

LA COIFFE

Elle est identique au bonnet de la coccinelle.
Joindre les différentes pièces par des coutures simples.
Glisser les chenilles dans la feutrine. Les replier sur l'envers pour les maintenir en place.

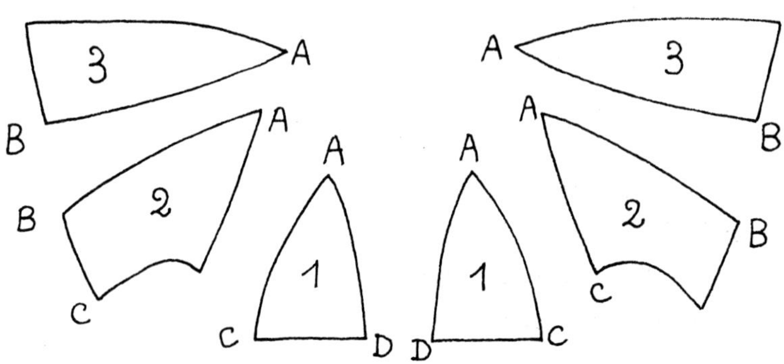

assemblage du bonnet

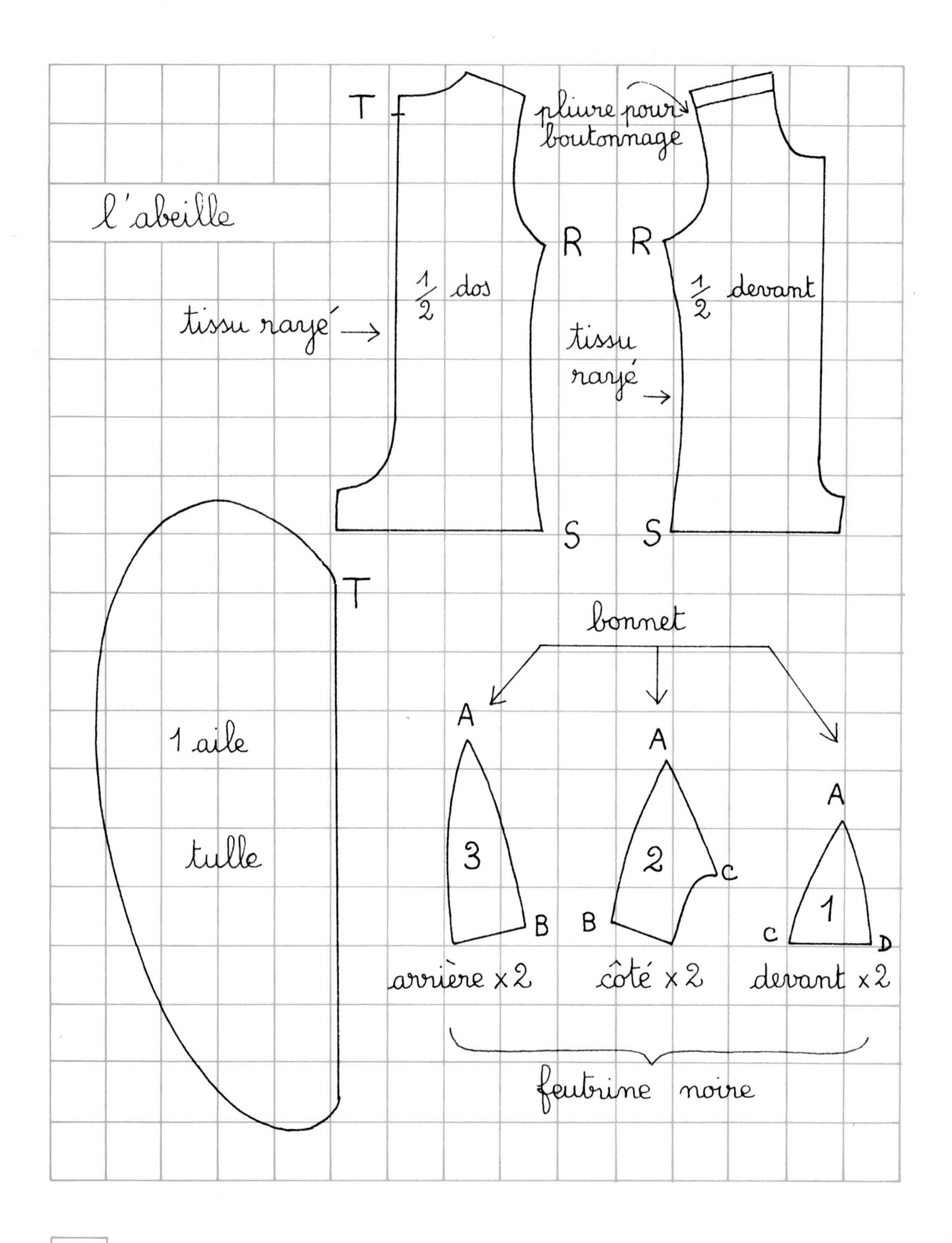
T
pliure pour boutonnage
l'abeille
R R
1/2 dos
1/2 devant
tissu rayé →
tissu rayé →
S S
T
bonnet
1 aile
tulle
A
A
A
3
2
C
1
B B
C D
arrière x 2
côté x 2
devant x 2
feutrine noire

= 7 cm x 7

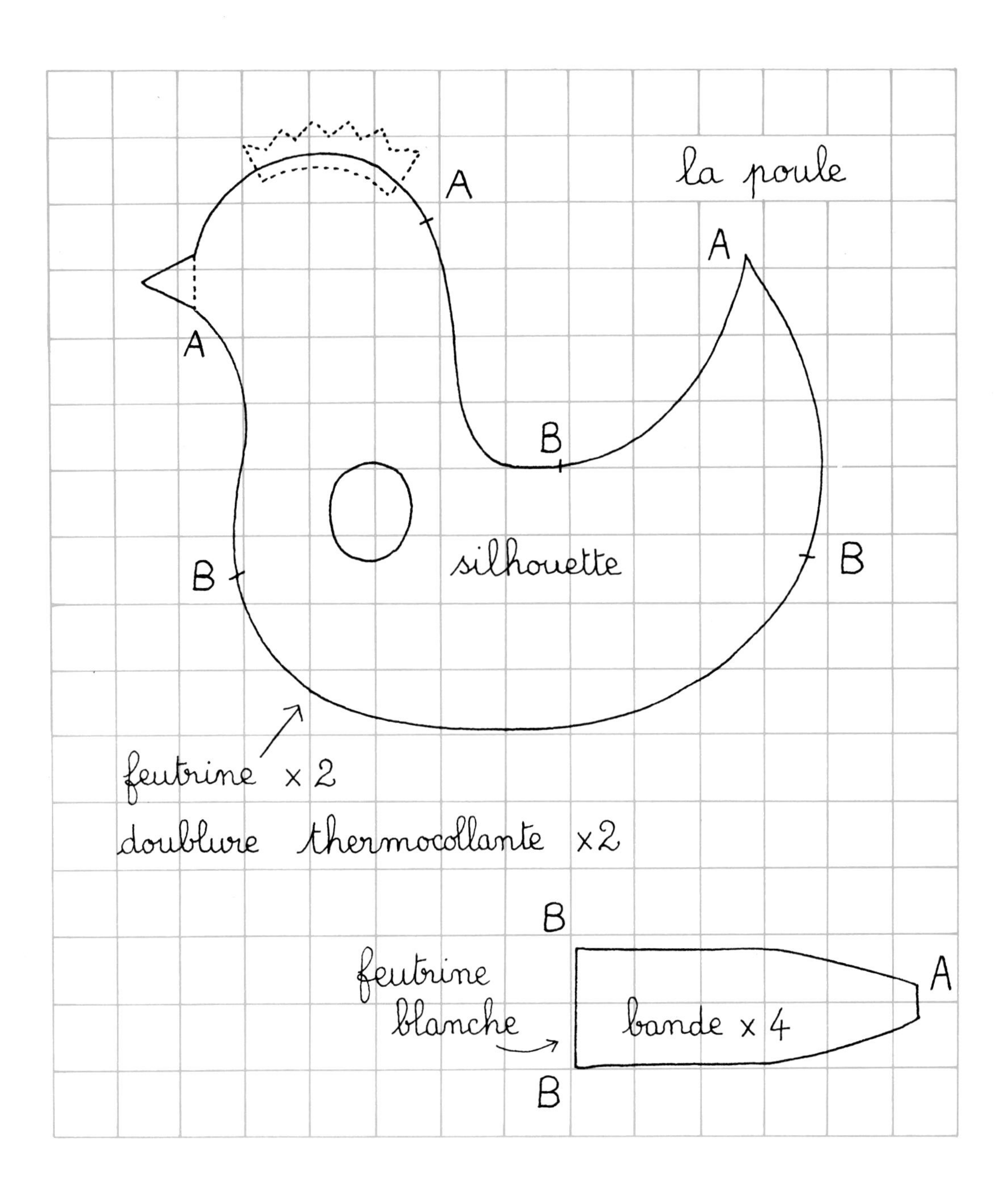
la poule
A
A
A
B
silhouette
B
B
feutrine x 2
doublure thermocollante x2
B
feutrine blanche
bande x 4
A
B
= 7 cm x 7

LA POULE

N'oublions pas un petit panier pour les œufs !

1,20 m x 1 m de feutrine blanche.
1 petit morceau de feutrine jaune (bec).
1 petit morceau de feutrine rouge (crête).
1,20 m x 1 m de doublure thermocollante.

Sous-pull, collants,
chaussons noirs, blancs ou jaunes.

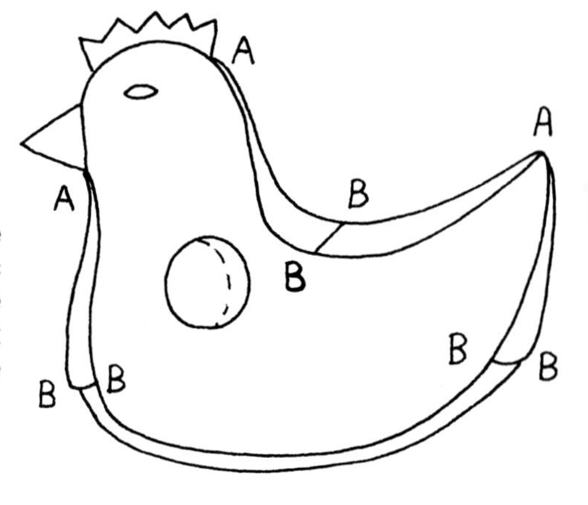

LE COSTUME

Avant de couper la feutrine, il est recommandé de faire une maquette en papier journal et de l'assembler avec de l'adhésif. Cela permettra de bien adapter le costume à l'enfant (en particulier le diamètre et l'emplacement des ouvertures pour les bras, et la largeur des quatre bandes d'épaisseur).

Coller la doublure sur les deux pièces principales.
Découper les ouvertures pour les bras.
Faufiler le bec et la crête sur l'une des pièces blanches.
Superposer l'autre morceau et coudre depuis le bec jusqu'à l'extrémité de la crête.
Assembler deux bandes d'épaisseur et les coudre aux pièces principales, de la crête à la queue.
Placer le morceau arrière et coudre à partir de la queue.
Faire de même avec le devant à partir du bec.
Passer "la poule" sur l'enfant : lui demander de vous montrer l'emplacement de ses yeux avec son doigt ; faire deux trous pour les yeux.

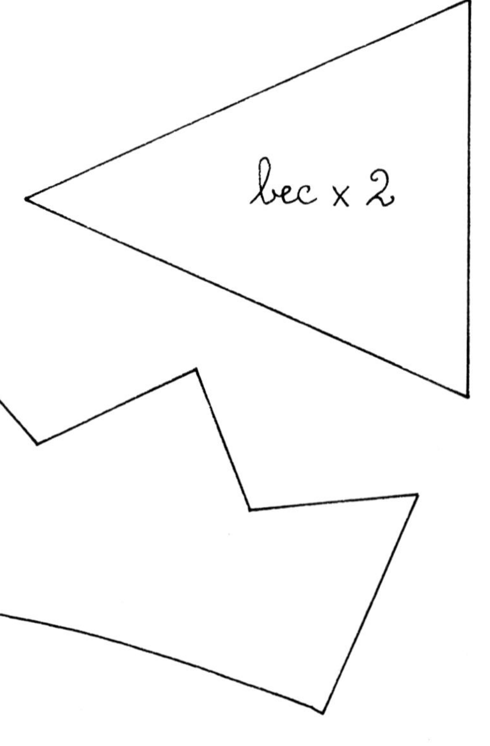

LA SOURIS

Ne laissons pas le fromage sur la table !

1,30 m d'imitation fourrure grise.
80 cm de doublure rose en 140 cm de large
(ou 120 cm en 90 cm de large).
10 cm de feutrine rose (doublure des oreilles).
Elastique à culotte.

Un collant rose.
Un sous-pull rose.
Chaussons gris ou roses.

LA CULOTTE

Assembler les morceaux (deux devants, deux dos, puis le devant et le dos). Passer un élastique dans la ceinture et à chaque jambe.

LES MOUFLES

Assembler les morceaux deux par deux et les coudre. Faire un point zigzag au poignet.

LE BONNET

Coudre les morceaux en juxtaposant devant, côté, deux dos, côté, devant. Doubler le bonnet. Doubler les oreilles et les coudre à la main.

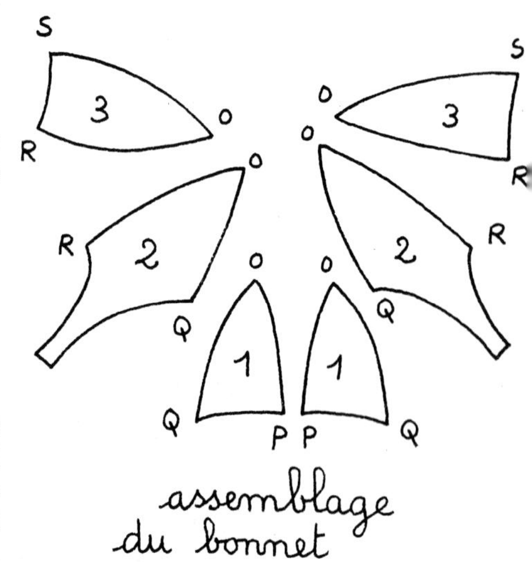

LE BOLÉRO

Assembler les morceaux. Doubler.

LA QUEUE

Couper une bande de 10 cm x 60 cm dans la fourrure. La plier en deux endroit contre endroit ; la coudre et retourner le tissu. Passer la queue dans la ceinture de la culotte ou la coudre par quelques points à la main au fond de la culotte.

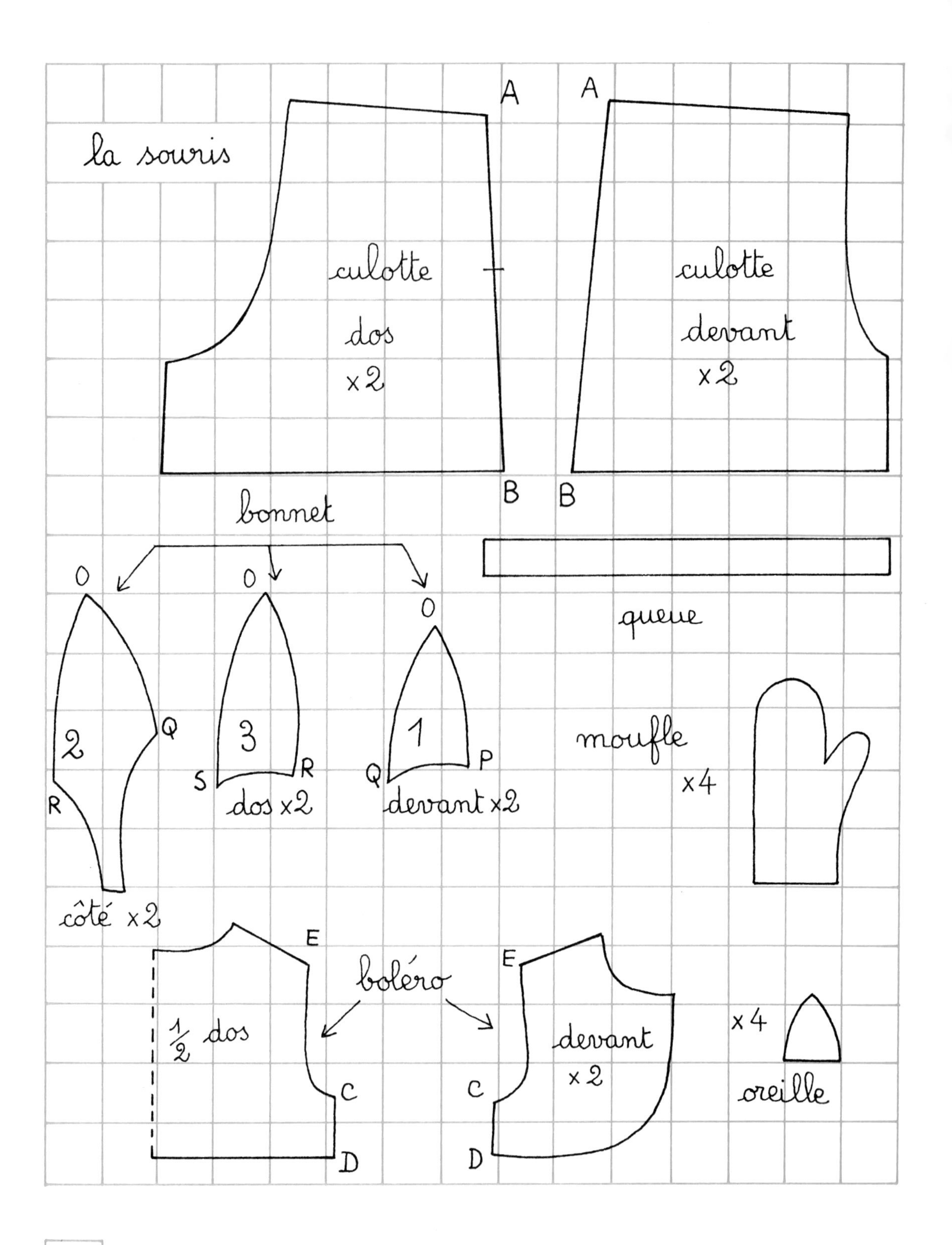
la souris
A
A
culotte
dos
x2
culotte
devant
x2
B
B
bonnet
queue
O
O
O
2
Q
3
1
R
S
R
Q
P
dos x2
devant x2
mouffle
x4
côté x2
E
boléro
E
1/2 dos
devant
x2
x4
C
C
oreille
D
D

= 7 cm x 7

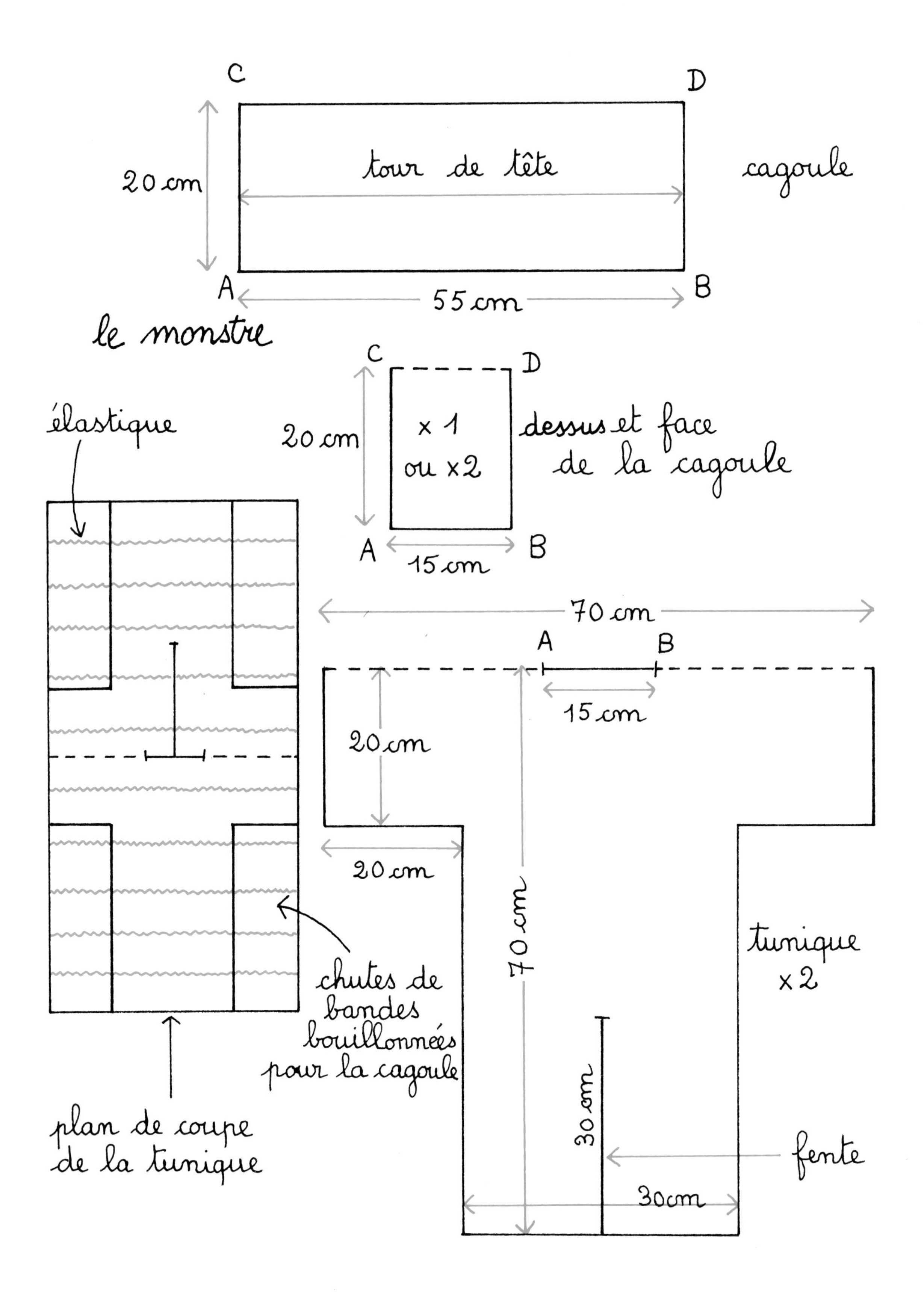
C
D
20 cm
tour de tête
cagoule
A
55 cm
B
le monstre
C
D
20 cm
x 1
ou x2
dessus et face
de la cagoule
A
15 cm
B
élastique
70 cm
A
B
15 cm
20 cm
20 cm
70 cm
tunique
x 2
chutes de
bandes
bouillonnées
pour la cagoule
plan de coupe
de la tunique
30 cm
fente
30cm

LE PETIT MONSTRE

4 ans

Le petit monstre créera son masque lui-même et tout le monde va se sauver.

1,40 m x 1,40 m de tissu froissé ou glacé, gris ou vert foncé.
Choisir un tissu suffisamment léger pour que l'enfant n'ait pas trop chaud.
Environ 10 m de ruban élastique souple.
Une fermeture à glissière d'environ 30 cm.
Un peu de carton et 50 cm de Lastex pour le masque (variante 1).

Chaussettes et chaussures foncées.

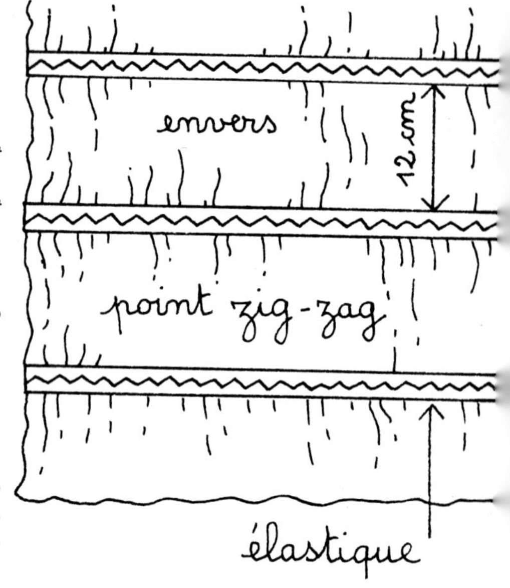

LA TUNIQUE

Coudre le ruban élastique, à points zig-zag sur l'envers du tissu, tous les 12 cm environ, pour former des bandes bouillonnées. Le tissu se resserre ainsi à peu près de moitié. Le tailler alors suivant le patron.
Faire une fente pour l'encolure, et pour la fermeture à glissière (au milieu du dos).
Tailler la cagoule, l'assembler et la monter sur la tunique.
Coudre la fermeture à glissière.
Ourler le bas de la tunique et le bas des manches.
Passer la tunique sur l'enfant et lui demander de montrer, avec ses mains : ses yeux, son nez, sa bouche. Les repérer d'un trait de feutre (ou à la craie tailleur). Enlever le costume à l'enfant et découper les ouvertures correspondantes. Très étroites comme sur la photo ci-contre, elles donneront une impression de mystère. Plus larges, elles peuvent donner au petit monstre un air tout à fait effrayant !

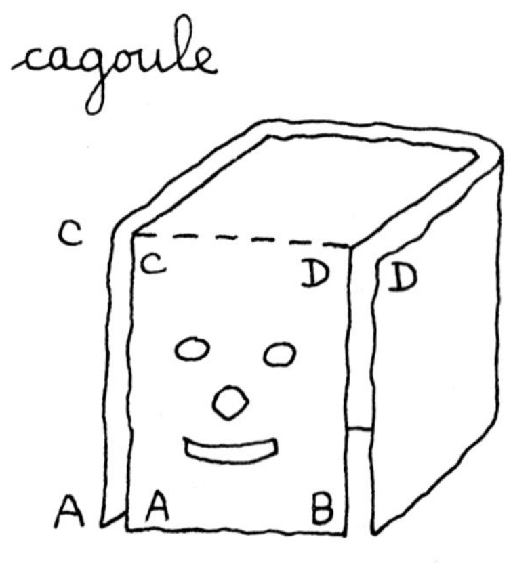

VARIANTES

1. Le costume peut se faire en deux pièces séparées.

La tunique est faite selon le même principe que page 18, mais sans la cagoule. Faire l'encolure assez large pour éviter la pose d'une fermeture à glissière, quitte à la resserrer en glissant un élastique dans l'ourlet.

Le bonnet est fait en assemblant la bande de tour de tête et seulement le morceau arrière. Faire un ourlet tout autour.

On peut coudre des liens pour le nouer, mais il sera tout aussi bien maintenu avec le Lastex du masque.

Le masque. Sur un morceau de carton faisant la hauteur du visage de l'enfant, marquer l'emplacement des yeux (environ 7 cm d'écartement), puis laisser l'enfant réaliser son masque en le dessinant, le coloriant et le découpant. Il en sera très fier et vous aurez gagné du temps ! Fixer l'élastique de chaque côté (coller un tout petit morceau de carton sur l'envers pour renforcer l'endroit où l'on percera le carton).

envers du masque

renfort pour l'élastique

2. Faire une **tunique salopette.** Suivre les indications de la page 18.
Sur l'envers du costume, faire deux piqûres distantes de 1 cm à l'emplacement de l'entrejambe. Couper entre les deux coutures : on obtient deux jambes. Bien sûr cette salopette s'adapte à la variante de la page 20.

3. **Des moufles.** Dans les chutes du tissu, tailler des moufles en suivant le patron de la souris, page 16. Les resserrer si nécessaire avec un élastique glissé dans l'ourlet du poignet.

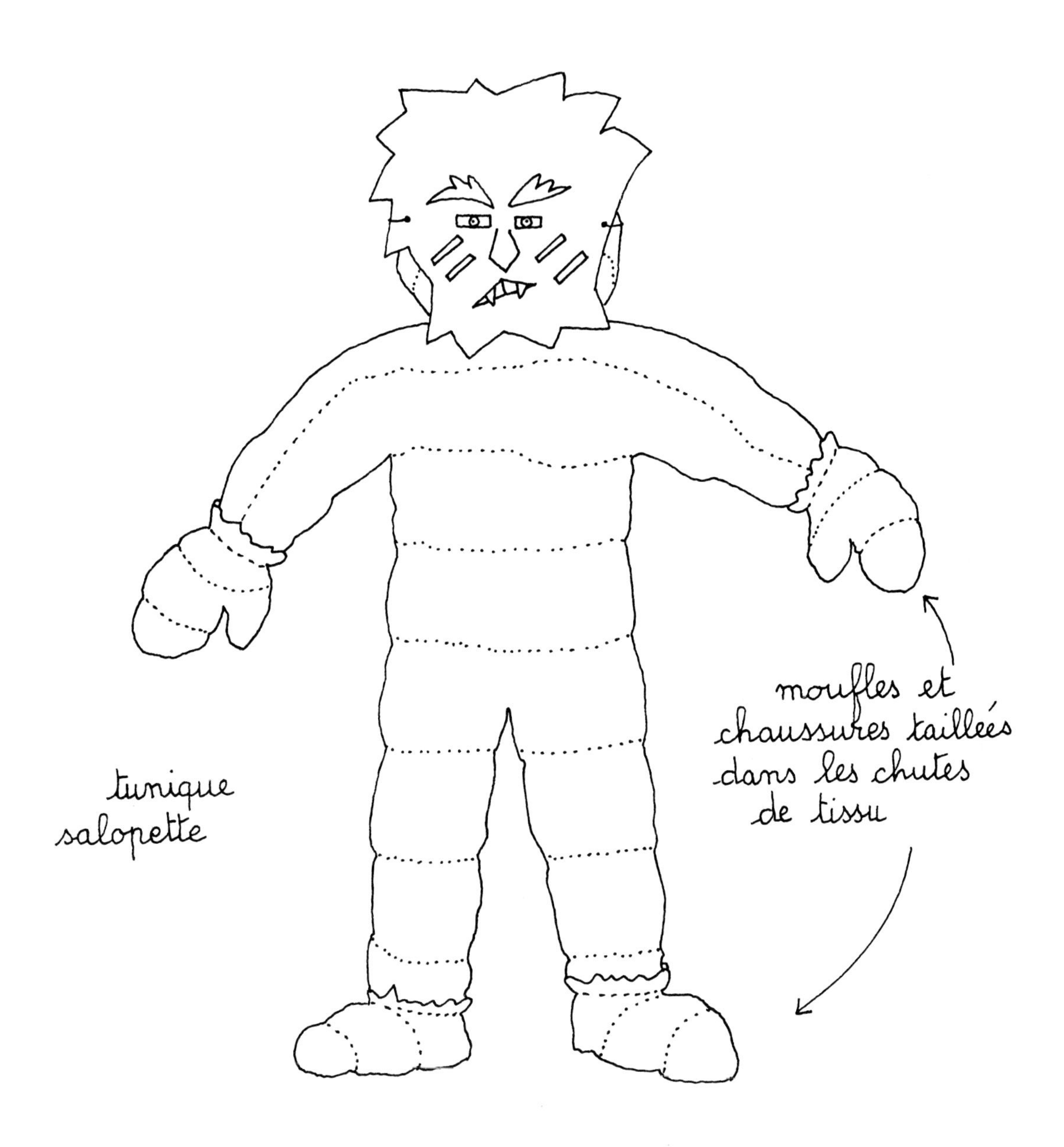

LE FLOCON DE NEIGE

6 ans

Rêve de petite fille... le tutu !

80 cm de tulle blanc en grande largeur.
40 cm x 140 cm de tissu lamé blanc ou argent.
50 cm d'élastique fronceur.
1 fermeture à glissière de 30 cm.
Coton hydrophile.
Un peu de carton.
Paillettes (petite bombe).

Un collant blanc plumetis.
Chaussons blancs.

4 bandes de tulle

LE TUTU

Couper quatre bandes dans le tulle respectivement de 25 cm, 20 cm, 15 cm et 12 cm de large.
Superposer ces bandes, la plus large dessus, la plus étroite dessous ; coudre l'élastique fronceur sur le bord en le tendant au fur et à mesure.
Coudre les côtés et les épaules du corsage.
Assembler corsage et jupe en faisant correspondre les coutures de milieu dos.
Poser la fermeture à glissière, dans le dos.
Faire les coutures des manches et coudre les manches au corsage.
Faire un petit ourlet à l'encolure et aux manches.
Fixer des boules de coton sur le tutu en les collant ou en les cousant.

LA COIFFE

Couper le flocon dans un carton rigide ; le saupoudrer de paillettes et le fixer dans les cheveux à l'aide de pinces à cheveux ou d'un élastique.

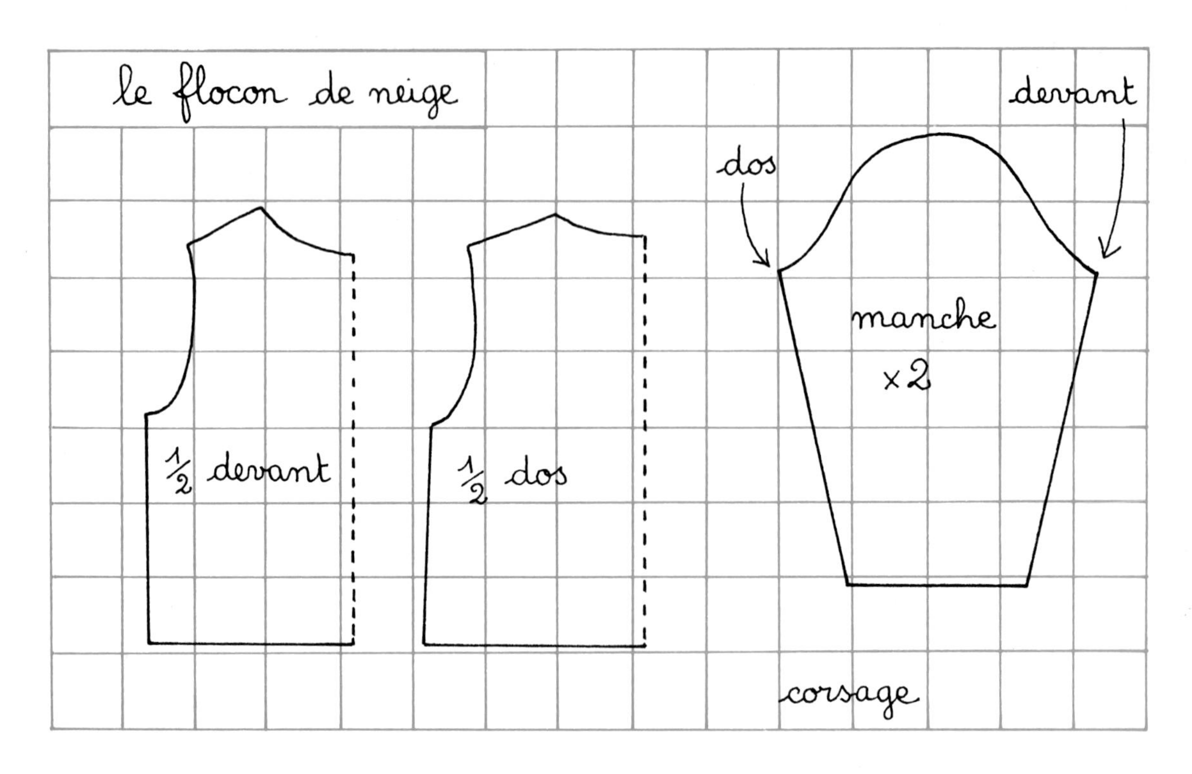
le flocon de neige
devant
dos
manche
×2
1/2 devant
1/2 dos
corsage

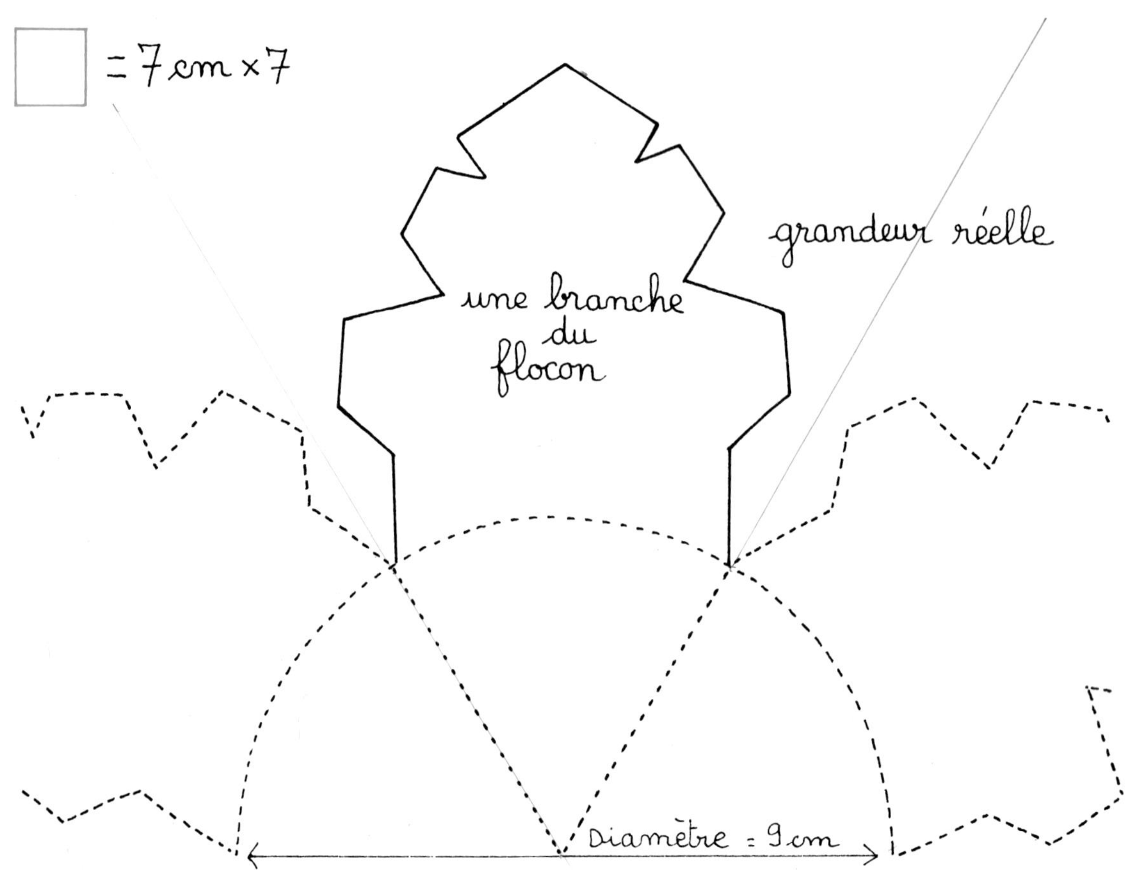
= 7 cm × 7
grandeur réelle
une branche
du
flocon
Diamètre = 9 cm

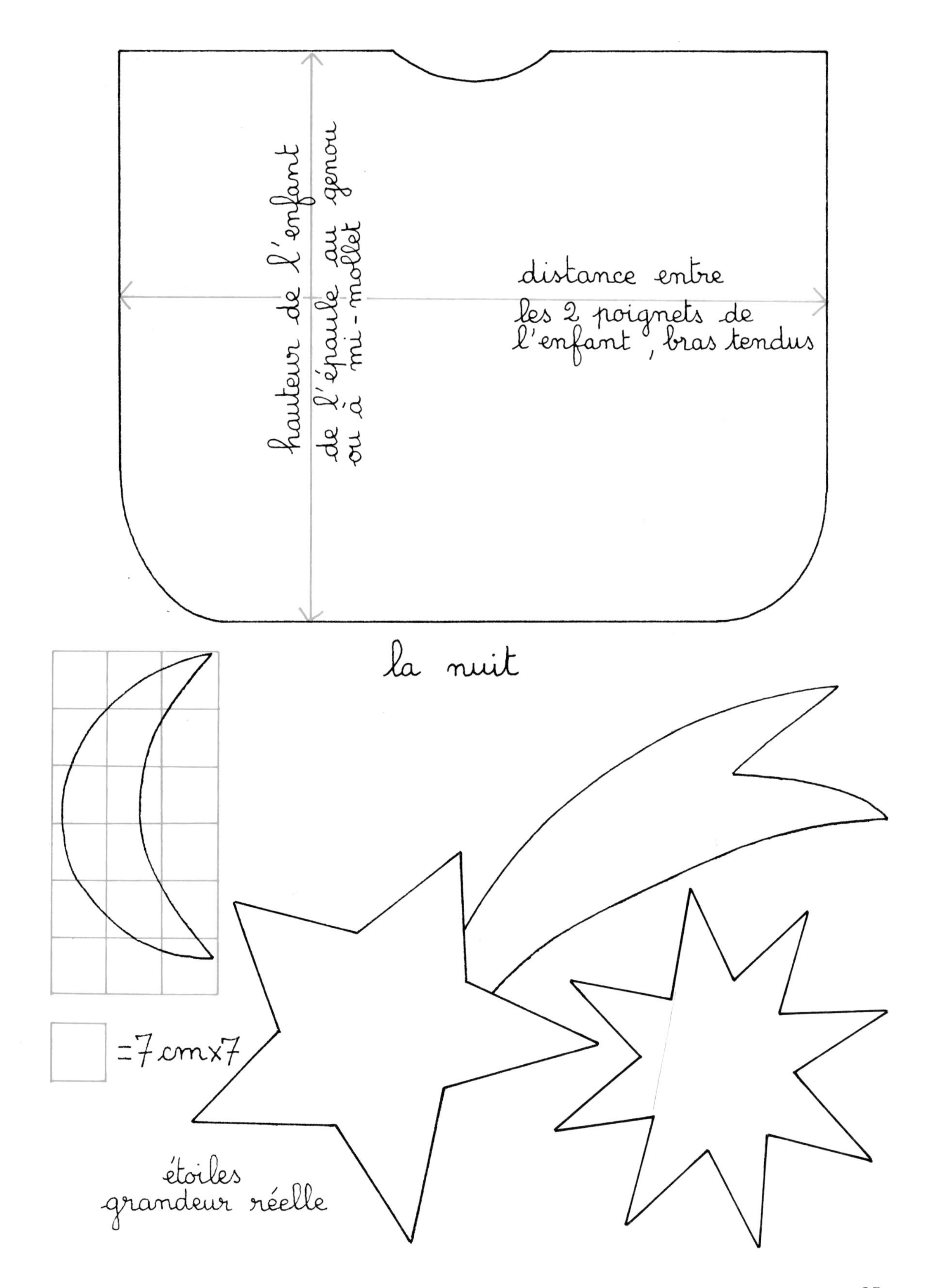
hauteur de l'enfant
de l'épaule au genou
ou à mi-mollet
distance entre
les 2 poignets de
l'enfant, bras tendus
la nuit
=7 cm x 7
étoiles
grandeur réelle

LA NUIT

**Un costume vite confectionné
pour faire rêver...**

*1,40 m x 1,40 m de tissu bleu foncé assez léger (Nylon, doublure...).
30 cm de feutrine adhésive jaune.
60 cm d'élastique en 0,5 cm de large (tension moyenne).
Bouton pression ou agrafe.*

*Collants noirs ou bleu marine.
Chaussons noirs.*

LA TUNIQUE

Plier le tissu en deux; couper l'arrondi de l'encolure; donner une forme arrondie aux angles inférieurs.
Vérifier que la largeur du costume ne dépasse pas la mesure de l'enfant: poitrine plus bras tendus à l'horizontale.
Ourler l'encolure et tout le tour du costume.
Découper des étoiles dans la feutrine adhésive et les coller sur le costume.

LA COIFFE

Découper deux croissants de lune dans du carton; agrafer les deux extrémités supérieures de la lune entre elles.
Couper l'élastique en deux morceaux de 30 cm. Agrafer solidement chacun de part et d'autre de la coiffe (aux extrémités inférieures des croissants de lune). Les deux élastiques se rejoignent sous le menton: poser un bouton-pression pour les attacher.
On peut plus simplement agrafer un morceau de Lastex sans prévoir de bouton-pression.
Découper deux croissants de lune dans la feutrine et les coller de part et d'autre de la lune de carton.

coller ou agrafer
la coiffe
bouton-pression
élastique 30 cm
feutrine collée sur carton

8 ans

Ce garde grec tout blanc
fera penser au soleil et aux raisins secs.

3 m x 1,40 m de doublure de tergal blanc.
1 m de feutrine noire (le gilet).
30 cm de feutrine rouge (le calot).
1 pelote de laine noire pour les pompons.
50 cm d'élastique noir de 1 cm de large.
2 agrafes et 1 fermeture à glissière de 25 cm.
1 bouton doré et 1 agrafe pour le calot.
Galon doré.

Un collant blanc.
Des sabots.

LA TUNIQUE

Assembler bout à bout les deux bandes de 30 cm et fermer la bande de 27 cm. Froncer ces deux "jupes" pour les ramener aux dimensions du corsage (80 cm), la moins froncée servant de jupon.
Coudre le devant et le dos du corsage.
Fendre le milieu dos sur 8 cm ; coudre une patte le long de la fente sur l'endroit du tissu ; couper la patte suivant la première fente ; la retourner sur l'envers et surpiquer le long de la fente, sur l'endroit.
Faire un petit ourlet le long de l'encolure et coudre une agrafe.
Faire les coutures des manches ; coudre les manches au corsage en fronçant très fort au niveau des épaules ; ourler le bas des manches.
Assembler "jupe" et "jupon" au corsage.

fente de 8 cm

dos

LE GILET

Coudre les côtés et les épaules.
Poser la fermeture à glissière.
Coudre un biais autour de l'encolure.
Décorer le devant du gilet avec des arabesques en galon doré.

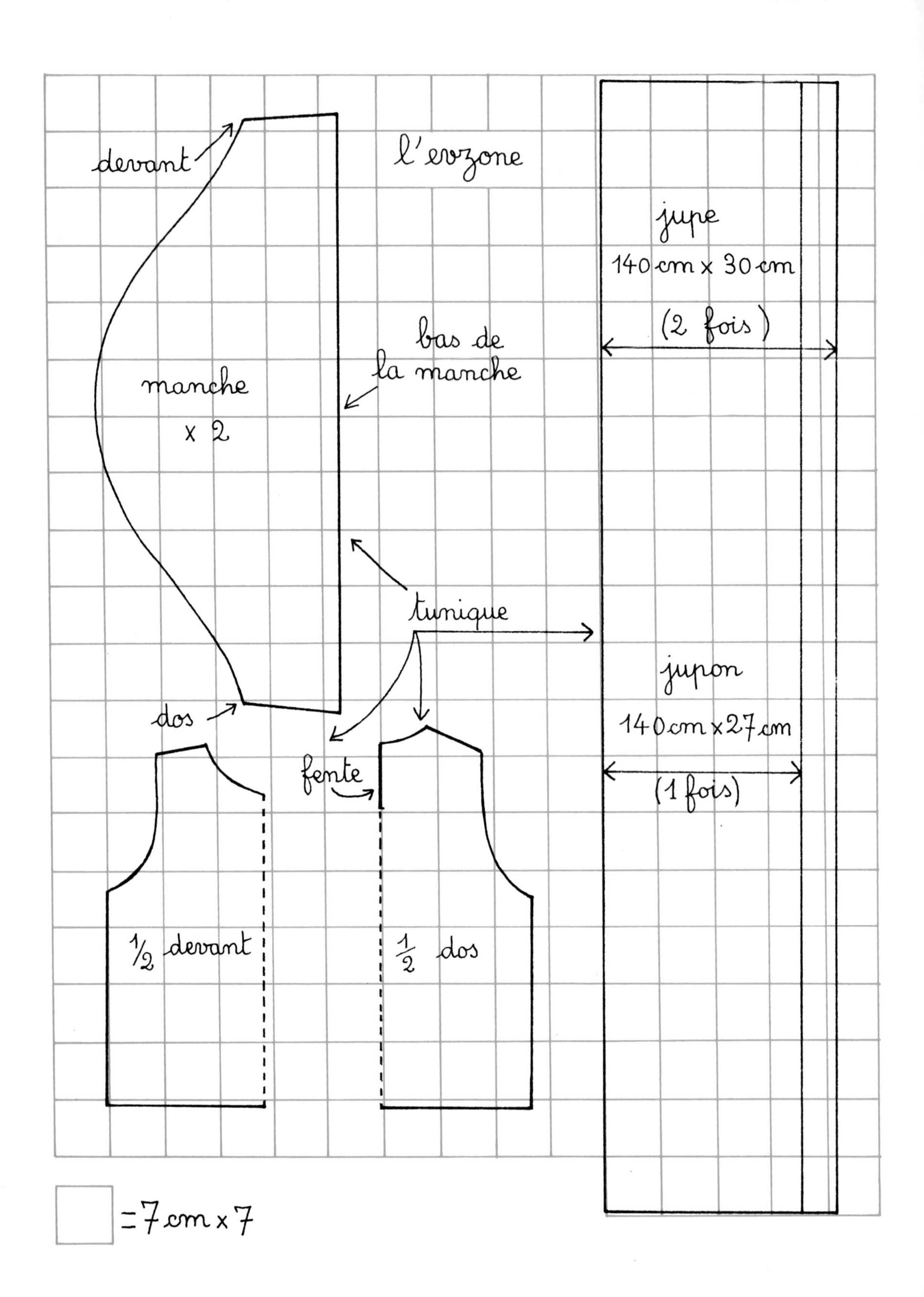
devant
l'evzone
jupe
140 cm x 30 cm
(2 fois)
bas de
la manche
manche
x 2
tunique
jupon
dos
140 cm x 27 cm
fente
(1 fois)
½ devant
½ dos
= 7 cm x 7

LE CALOT

Coudre la partie médiane sur chacun des côtés du calot.
Faire les coutures devant et arrière.
Coudre un bouton doré sur le milieu devant.
Fabriquer une mèche longue de 30 cm environ avec de la laine noire, et la coudre sur l'envers du calot, légèrement vers l'arrière, du côté droit.

BAS ET SABOTS

L'enfant porte des collants blancs.
Glisser sous les genoux une bande élastique noire fermée par des agrafes, sur laquelle on a cousu une mèche de laine noire (environ 10 cm).
Faire deux gros pompons noirs pour orner les sabots.

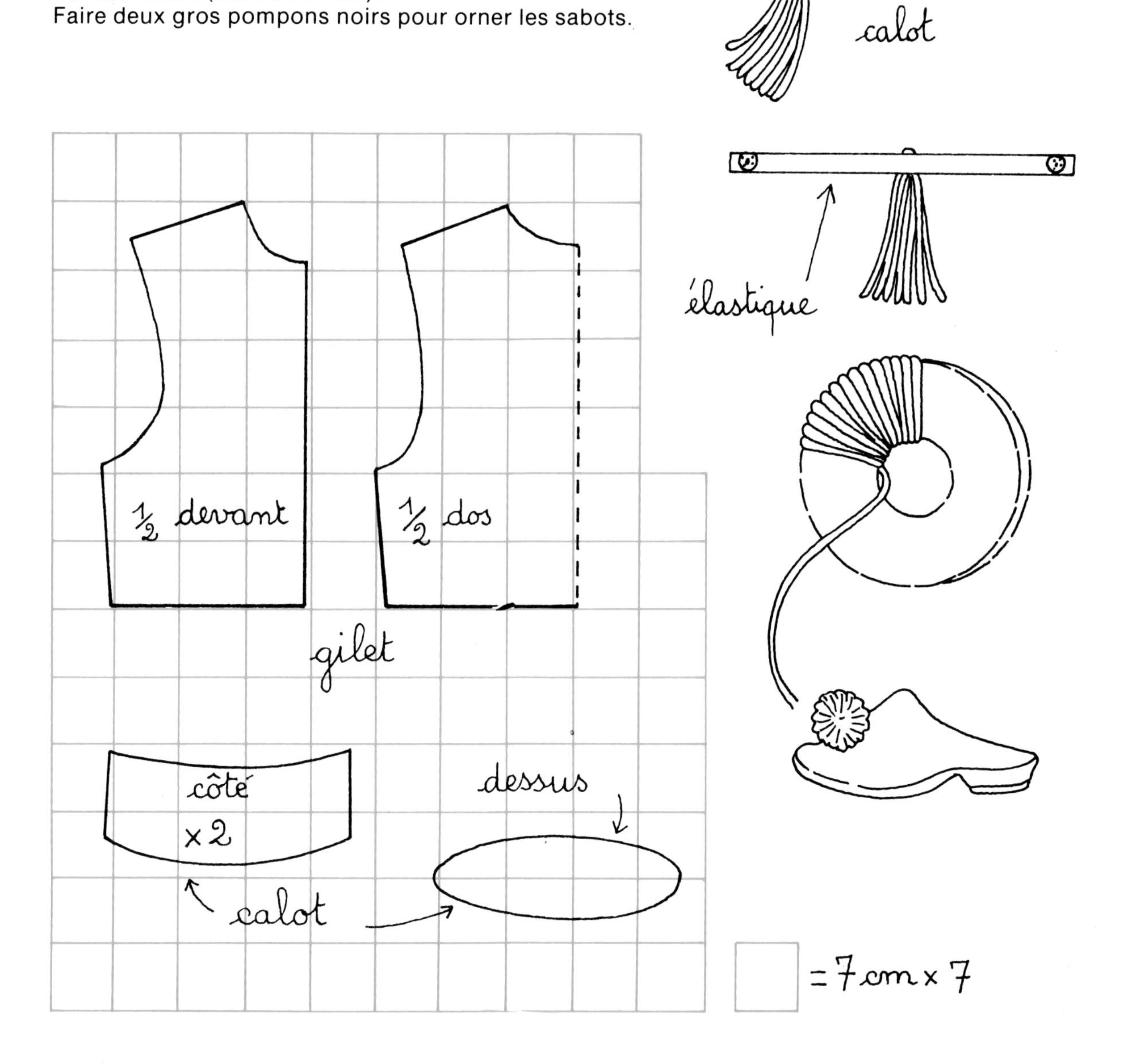

LE GARDE ANGLAIS ET LE GROOM

8 ans

Pour un petit garçon qui rêve d'uniforme et qui sait garder son sérieux.

45 cm d'imitation fourrure noire (garde anglais).
45 cm de doublure (garde anglais).
1,10 m x 1,40 m de tissu rouge.
1,10 m x 1,40 m de tissu noir.
1,50 m de liseré rouge.
Environ 2 m de liseré doré (veste), plus 50 cm pour le bonnet du groom.
11 petits boutons dorés.
60 cm d'élastique en 2,5 cm de large.
2 épaulettes enfant.
20 cm de chaînette ou de galon doré (garde anglais).
30 cm d'élastique noir (groom).

Une large ceinture blanche pour le garde anglais.
Des bottes noires pour le garde anglais.
Des gants blancs pour tous les deux.

LA VESTE

Faire les coutures des côtés et des épaules.
Coudre le liseré entre les deux morceaux du col; retourner et coudre le col sur la veste.
Assembler le devant gauche et sa parementure en insérant le liseré doré.
Rabattre les parementures sur l'endroit; coudre le long du col et retourner.
Faire la couture du milieu dos en glissant le liseré doré sur 15 cm.
Coudre les deux parties de chaque épaulette en glissant le liseré doré et coudre les épaulettes sur la veste au bord de l'emmanchure.
Faire les coutures des manches ("manches costume") et coudre les manches sur le vêtement.
Fixer la pointe de chaque épaulette à l'aide d'un bouton doré.
Coudre les boutons trois par trois sur le côté droit et faire les boutonnières correspondantes à gauche.

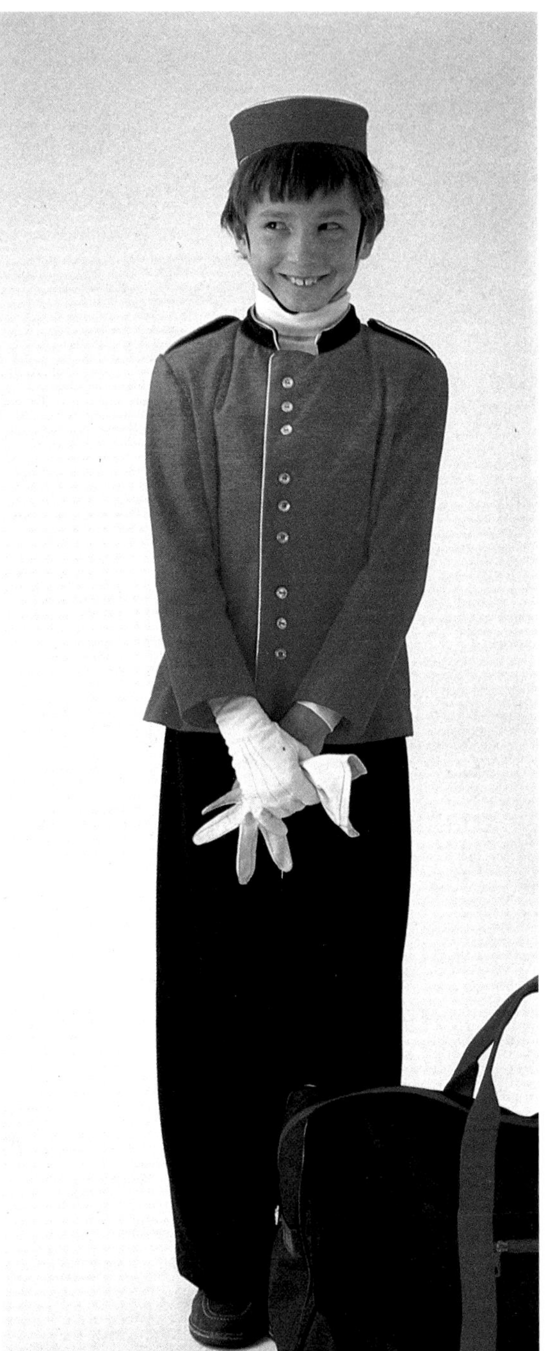

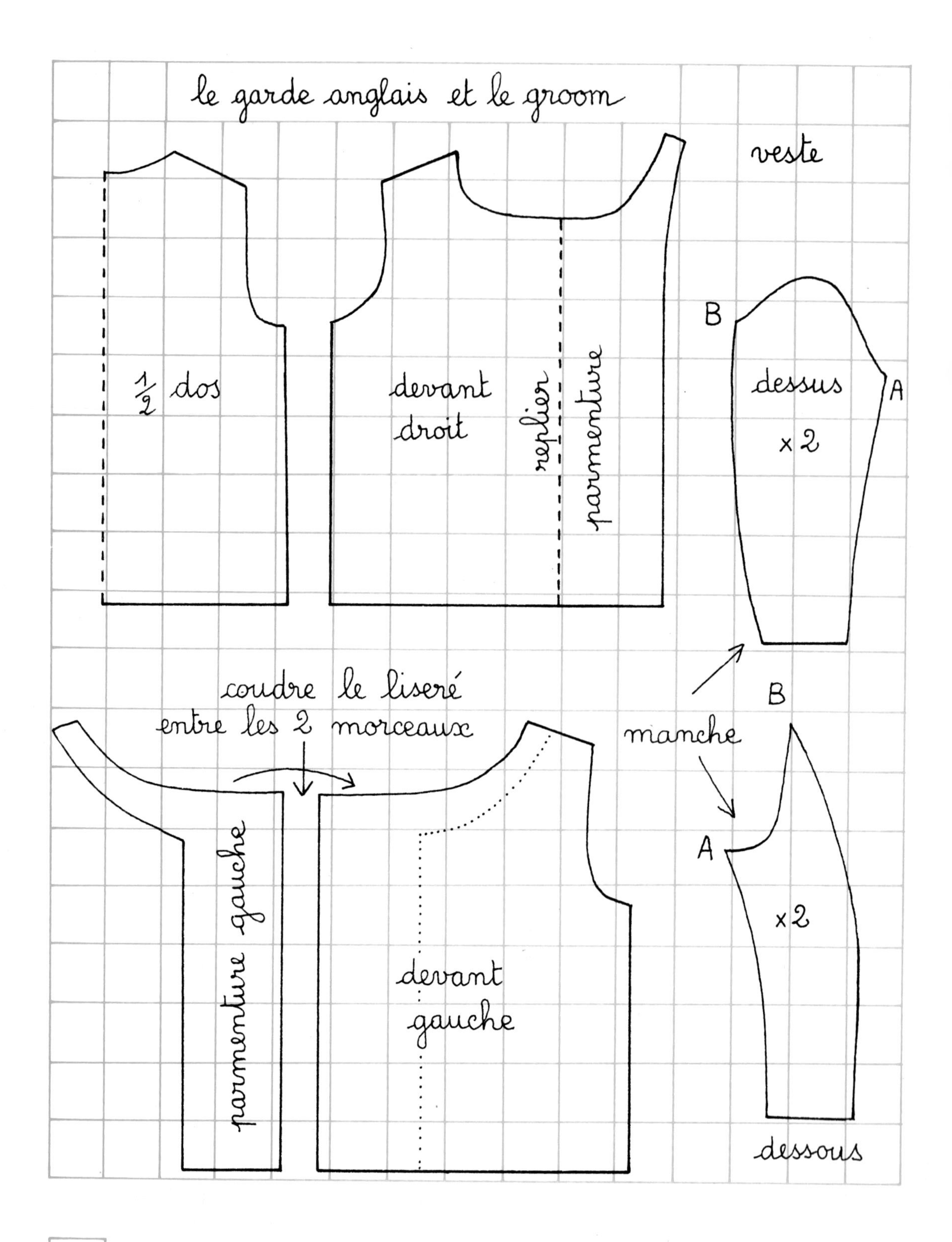
le garde anglais et le groom
veste
1/2 dos
devant
droit
replier
parmenture
B
dessus
A
x 2
coudre le liseré
entre les 2 morceaux
manche
B
A
parmenture gauche
devant
gauche
x 2
dessous
= 7 cm x 7

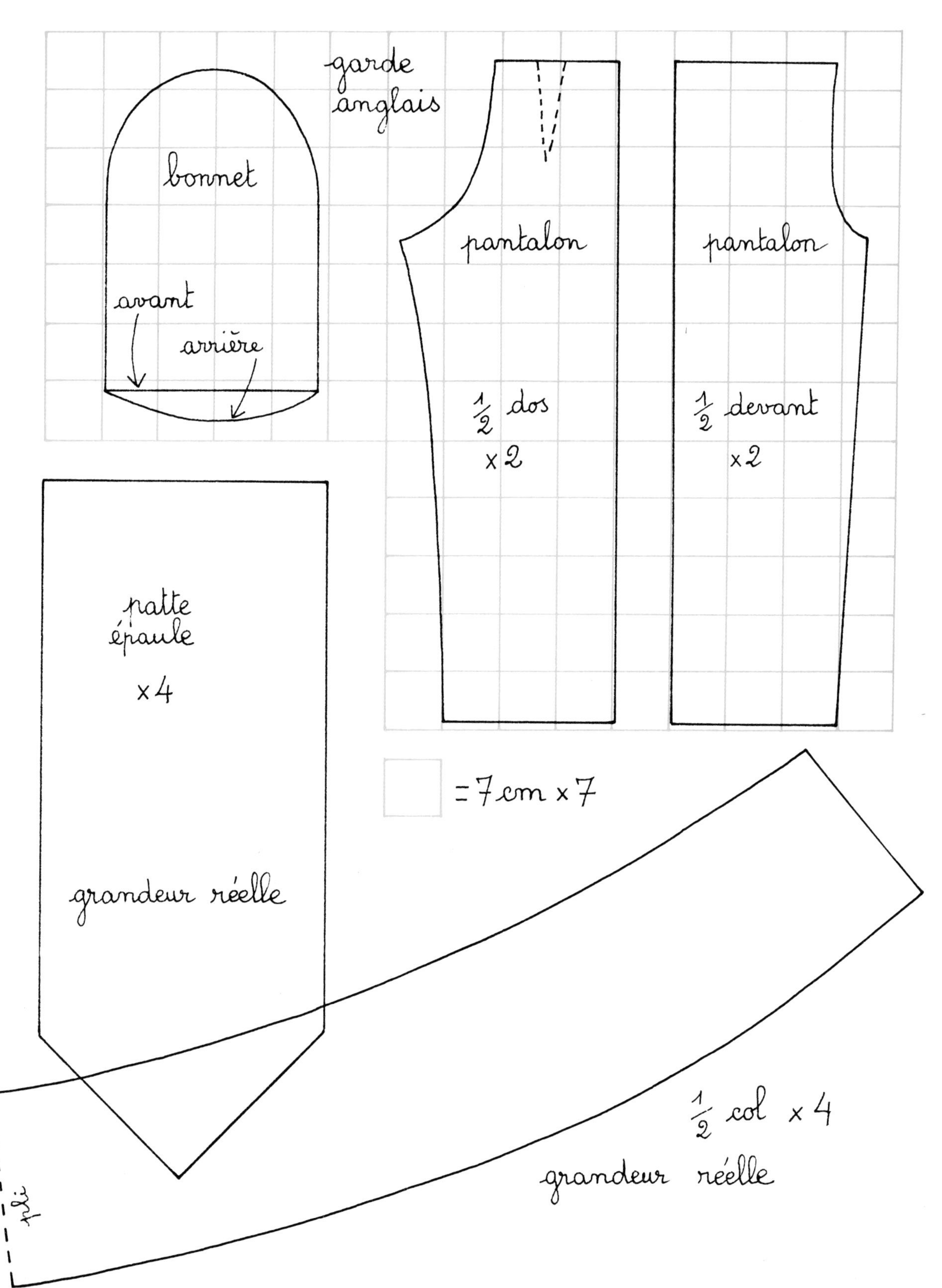
garde anglais
bonnet
avant
arrière
pantalon
pantalon
½ dos
x 2
½ devant
x 2
patte épaule
x 4
grandeur réelle
= 7 cm x 7
½ col x 4
grandeur réelle
pli

LE PANTALON

Assembler un devant et un dos par les coutures de côté en glissant le liseré rouge entre les morceaux et coudre tout le long.
Assembler l'ensemble par les coutures du milieu.
Replier le tissu au niveau de la ceinture et coudre en glissant l'élastique.
Ourler le bas des jambes.

BONNET DU GARDE ANGLAIS

Coudre les deux parties de fourrure, endroit contre endroit ; faire de même avec la doublure.
Assembler la doublure à la fourrure.
Coudre le galon doré à gauche.
Il sera attaché à droite par une épingle ou une pression.
Mais le mieux, c'est encore une chaînette dorée.

LE BONNET DU GROOM

Découper les deux parties du bonnet dans du carton.
Les monter ensemble avec du ruban adhésif, ou les agrafer.
Agrafer un élastique noir qui passera sous le menton.
Recouvrir le dessus de feutrine noire, et le tour de feutrine rouge en glissant du liseré doré entre les deux.

dessus du chapeau groom

15 cm

pattes de collage

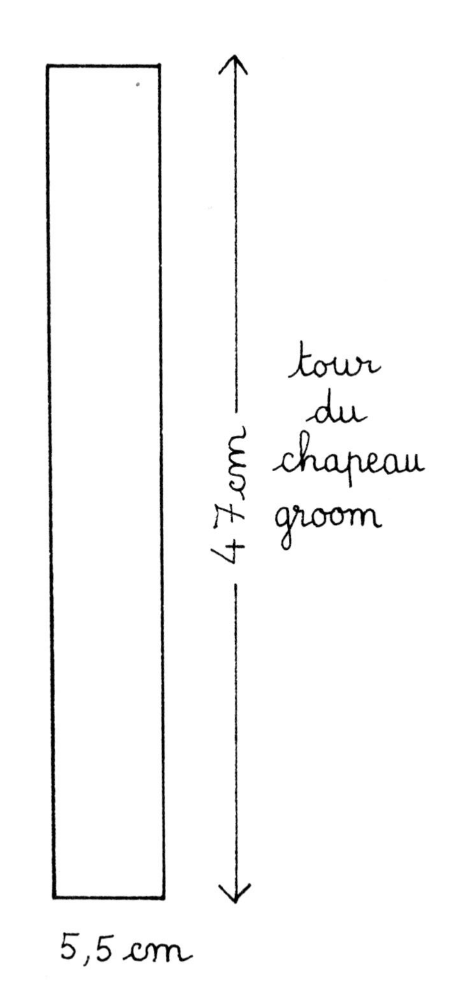

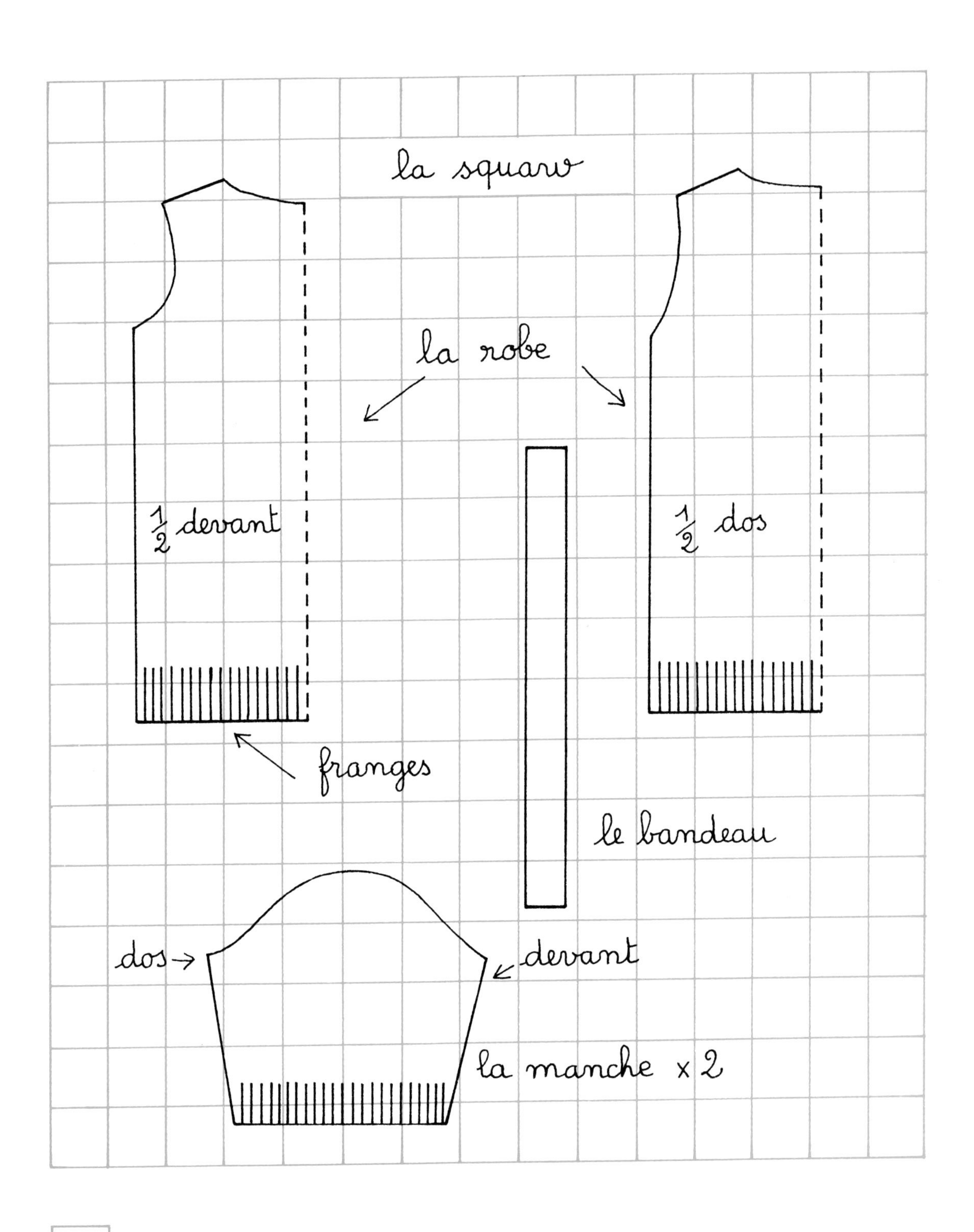
la squaw
la robe
1/2 devant
1/2 dos
franges
le bandeau
dos
devant
la manche x 2

= 7 cm x 7

LA SQUAW

Avec un petit bout de tissu...

0,70 m x 1,40 m de tissu à dessins géométriques.
De la doublure thermocollante en 3 cm de large.
De la laine marron ou noire pour les tresses.

Une ou deux plumes.

LA ROBE

Tailler la robe dans le tissu en suivant le patron.
Assembler le dos et le devant en cousant les côtés et les épaules.
Faire un petit ourlet au bord de l'encolure.
Couper, en bas de la robe, des franges de 0,5 cm à 1 cm de large sur environ 12 cm de haut.
Fermer les manches et couper en bas de chacune des franges de la même manière qu'en bas de la robe.
Assembler les manches et la robe.

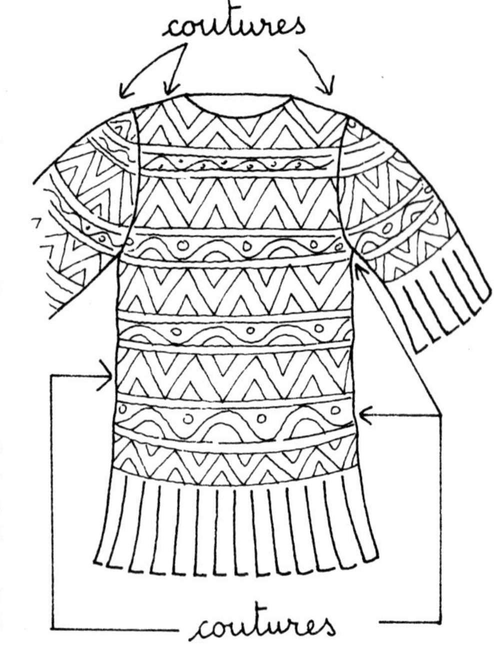

LE BANDEAU ET LES TRESSES

Couper dans le tissu une bande d'environ 52 cm (tour de tête de l'enfant pris en mesurant horizontalement à hauteur du front plus 1 cm pour la couture) et de 5 cm de large. Couper une bande de 3 x 51 cm dans la doublure thermocollante.
Coller la doublure thermocollante au milieu de la bande de tissu, rabattre le tissu de part et d'autre et faire la couture.
Fabriquer deux tresses avec de la laine. Les coudre ou les épingler de chaque côté du bandeau.
On peut glisser une ou deux plumes dans le bandeau.

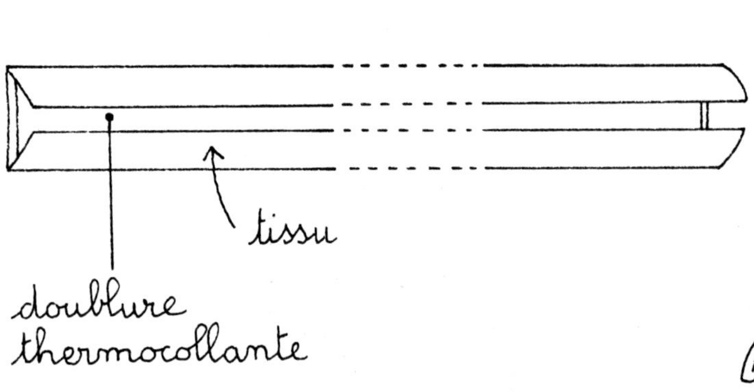

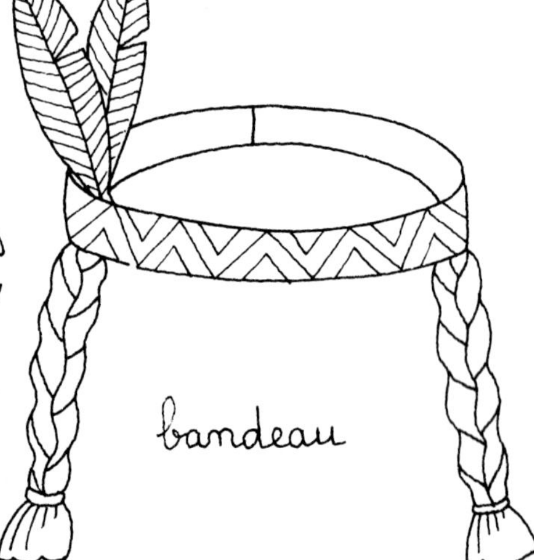

LA PETITE BRETONNE

6 ans

Qui veut mes jolies tomates ?

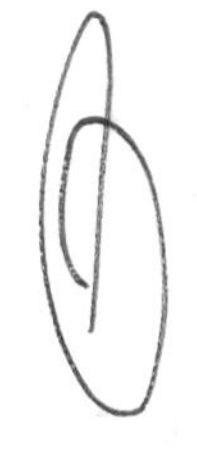

40 cm x 90 cm de tissu blanc genre Nylon ou jersey de Nylon (coiffe).
Tissu rouge : 11 cm x 15 cm (devant robe).
1,40 m x 1,40 m de tissu vert.
3 m de ruban noir.
30 cm x 40 cm de broderie anglaise (tablier).
1,50 m à 2 m de tresse blanche (ceinture du tablier).
20 cm de jersey côtelé rayé rouge et blanc (chaussettes).
1 fermeture à glissière de 30 cm.

Des sabots.

CHAUSSETTES

Couper le jersey à la bonne largeur (tour du mollet) et coudre au point zigzag le long des chaussettes en faisant correspondre les rayures. Faire une couture perpendiculaire au bout du pied en prenant soin de placer la première couture au milieu de la largeur. Terminer par un petit ourlet en haut de la chaussette.

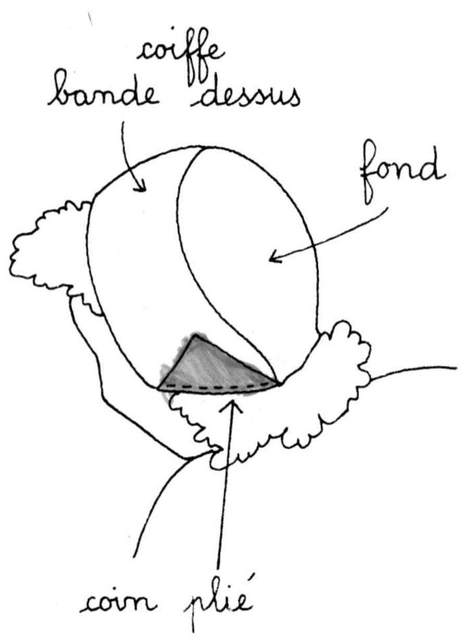

LA COIFFE

Cette coiffe est une version très simplifiée de la coiffe d'Auray.
Fixer la bande de la coiffe sur l'arrondi du fond et coudre.
Faire de même avec la doublure (dans le même tissu).
Assembler les deux morceaux sur l'envers ; les coudre en laissant un passage pour retourner le travail ; retourner sur l'endroit.
Surpiquer tout autour du bonnet.
"Casser" les deux coins au niveau des oreilles en pliant les coins et faire une couture à 1 mm du bord.

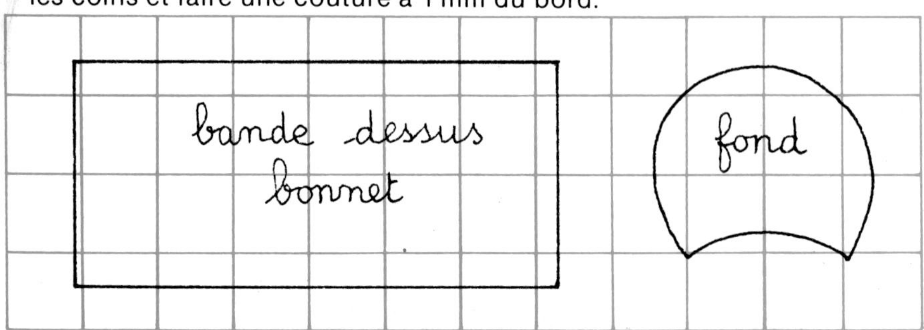

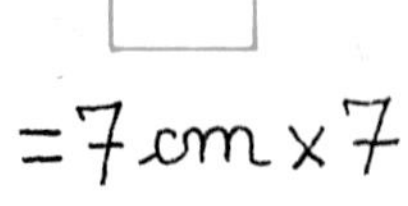

LA ROBE

Assembler le morceau blanc et le morceau rouge et coudre du ruban noir à cheval sur la couture.
Coudre les côtés verts des devants.
Assembler le dos et le devant du corsage.
Coudre le devant de la jupe et le dos jusqu'à 5 cm de la ceinture et placer la fermeture à glissière.
Poser du ruban ou du biais noir autour de l'encolure.
Faire les coutures des manches ; coudre les manches à la robe ; ourler le bas des manches et poser du ruban noir à quelques centimètres du bord.

LE TABLIER

Faire un petit ourlet sur les deux longueurs et une largeur du rectangle de broderie anglaise.
Former quelques fronces sur le quatrième côté.
Coudre une tresse à cheval sur le tissu pour former la ceinture qui sera nouée dans le dos.

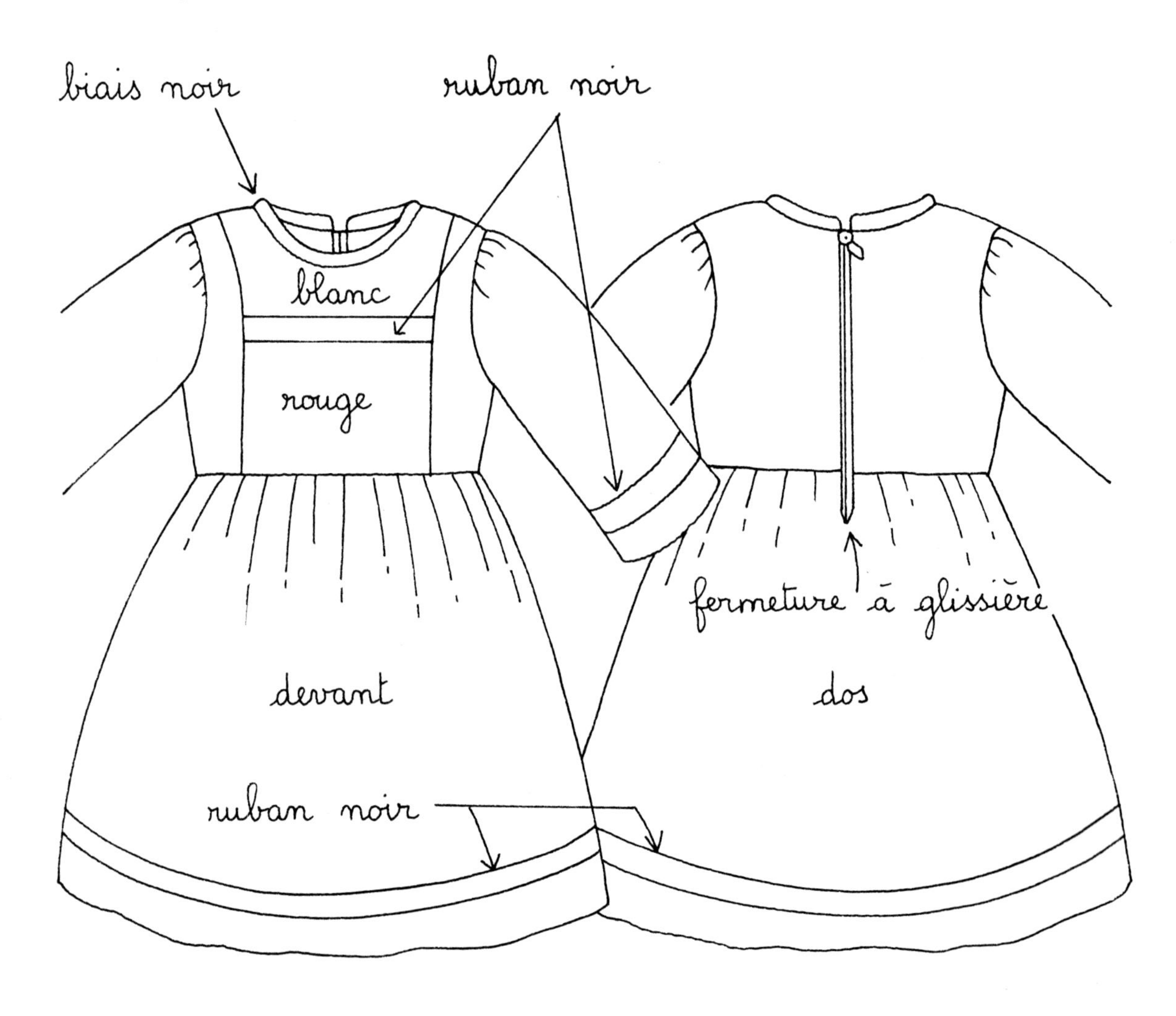

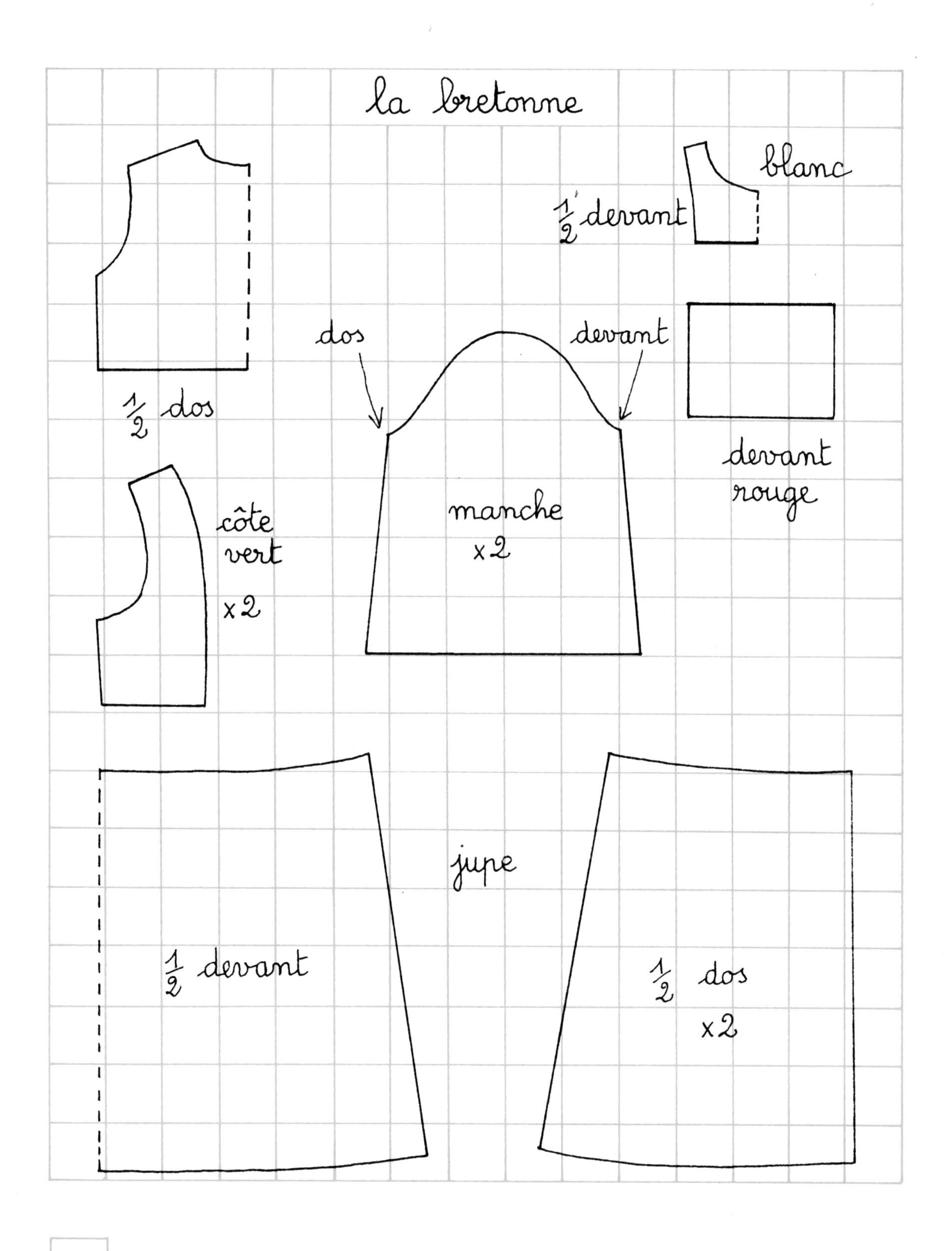
la bretonne
blanc
1/2 devant
1/2 dos
dos
devant
devant
rouge
côte
vert
x2
manche
x2
jupe
1/2 devant
1/2 dos
x2

= 7 cm x 7

NAPOLĒON

8 ans

Pour un admirateur...
On peut se contenter de la veste et du chapeau ;
le plastron fera l'habit de cérémonie.

1,10 m x 1,40 m de tissu noir.
4 ou 6 boutons pour la veste.
2 épaulettes enfant.
40 cm de feutrine blanche pour le plastron.
10 petits boutons dorés.
1 feuille de papier Canson épais.
1 m de feutrine adhésive noire ou un rouleau de papier crépon noir.

Un pantalon de couleur très claire.
Un sous-pull ou une écharpe de couleur assortie.
Des bottes noires.

LA VESTE A BASQUES

Coudre les deux parties du dos en laissant une fente de 25 cm en bas.
Assembler le dos et le devant et faire les coutures des côtés et des épaules.
Coudre les deux parties du col ; le retourner et le monter en partant du milieu dos.
Rabattre les parementures sur l'endroit et les coudre le long de l'encolure.
Surpiquer tout autour du col.
Faire un ourlet le long de la fente, en bas du dos et du devant ; coudre les boutons et faire les boutonnières.
Faire les coutures des manches et les monter au vêtement.
Poser les épaulettes.

PLASTRON

Tailler le plastron dans la feutrine blanche. Coudre les boutons. Le plastron se met sur la veste. Le maintenir avec des épingles à nourrice, du Velcro ou des boutons-pression.

LE BICORNE

En papier crépon. Couper seulement le rebord dans du papier Canson. Faire une armature avec 3 bandes de papier Canson de 30 x 3 cm entrecroisées. Les agrafer à une bande de 58 x 3 cm fermée en cercle. On obtient la carcasse d'une demi-sphère. Fermer en cercle une bande de crépon noir de 58 x 15 cm. Plisser un des côtés

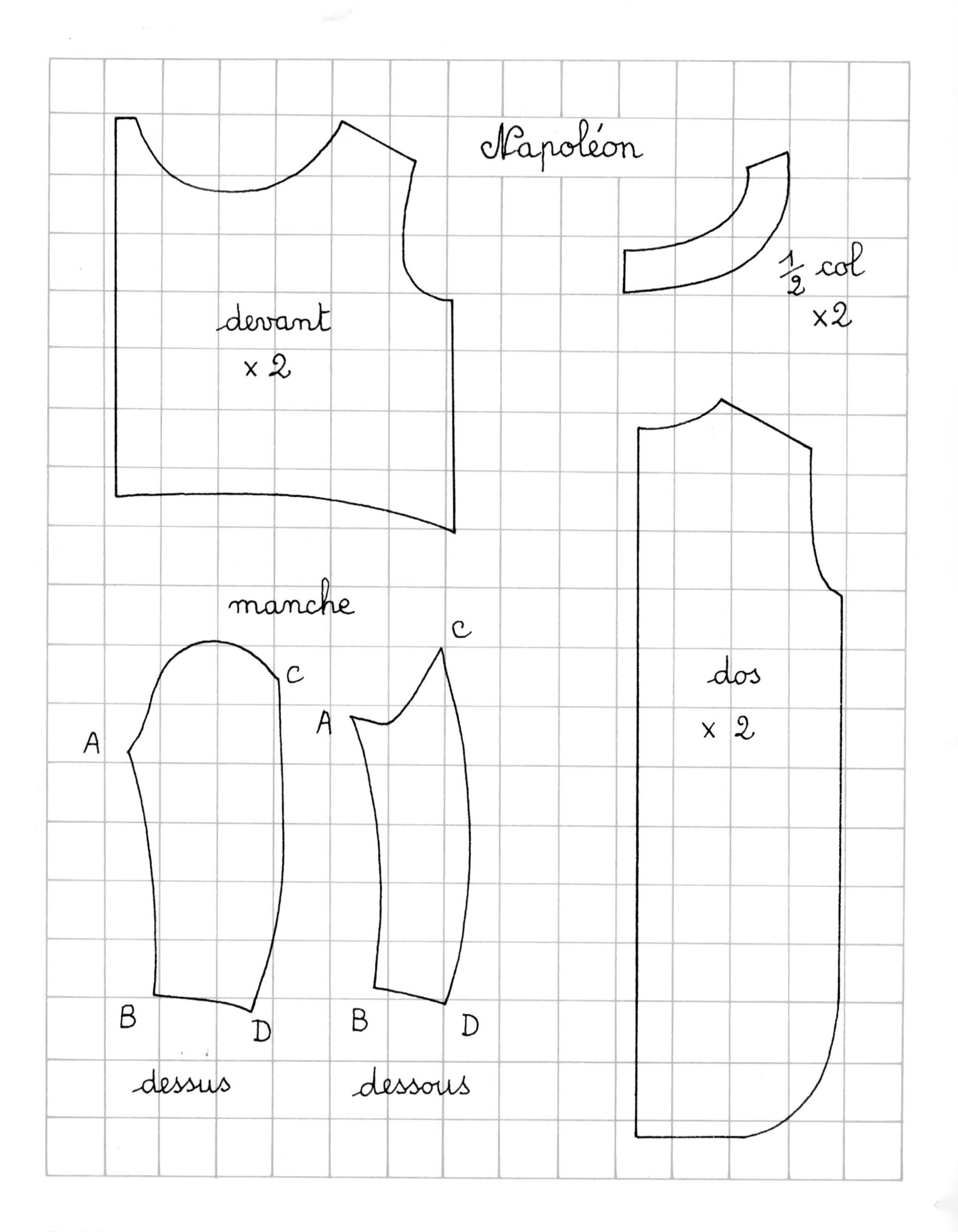
Napoléon
devant
x 2
½ col
x2
manche
A
C
B
D
dessus
A
C
B
D
dessous
dos
x 2

= 7 cm x 7

et façonner le crépon pour obtenir une demi-sphère que l'on glisse sur la carcasse. Maintenir les plis du crépon avec des agrafes et les cacher avec une grosse pastille de Canson recouverte de crépon. Agrafer l'autre bord à la base de la carcasse. Recouvrir le rebord en Canson en crépon noir, dessus et dessous. Cacher la tranche en collant tout autour une bande de crépon. Coller à l'intérieur du chapeau une bande de mousse plus ou moins épaisse pour l'adapter au tour de tête de l'enfant. Replier les bords comme pour le modèle en feutrine.

En feutrine. Couper les différents morceaux dans le papier Canson et les assembler avec du ruban adhésif. Replier les deux grands bords avant et arrière, puis écraser les côtés gauche et droit sur une table sur 4 à 5 cm. Voir les croquis. Recouvrir l'ensemble de feutrine adhésive noire coupée suivant le patron.

Décorer l'un et l'autre d'une cocarde ou d'un galon doré.

1
2
3

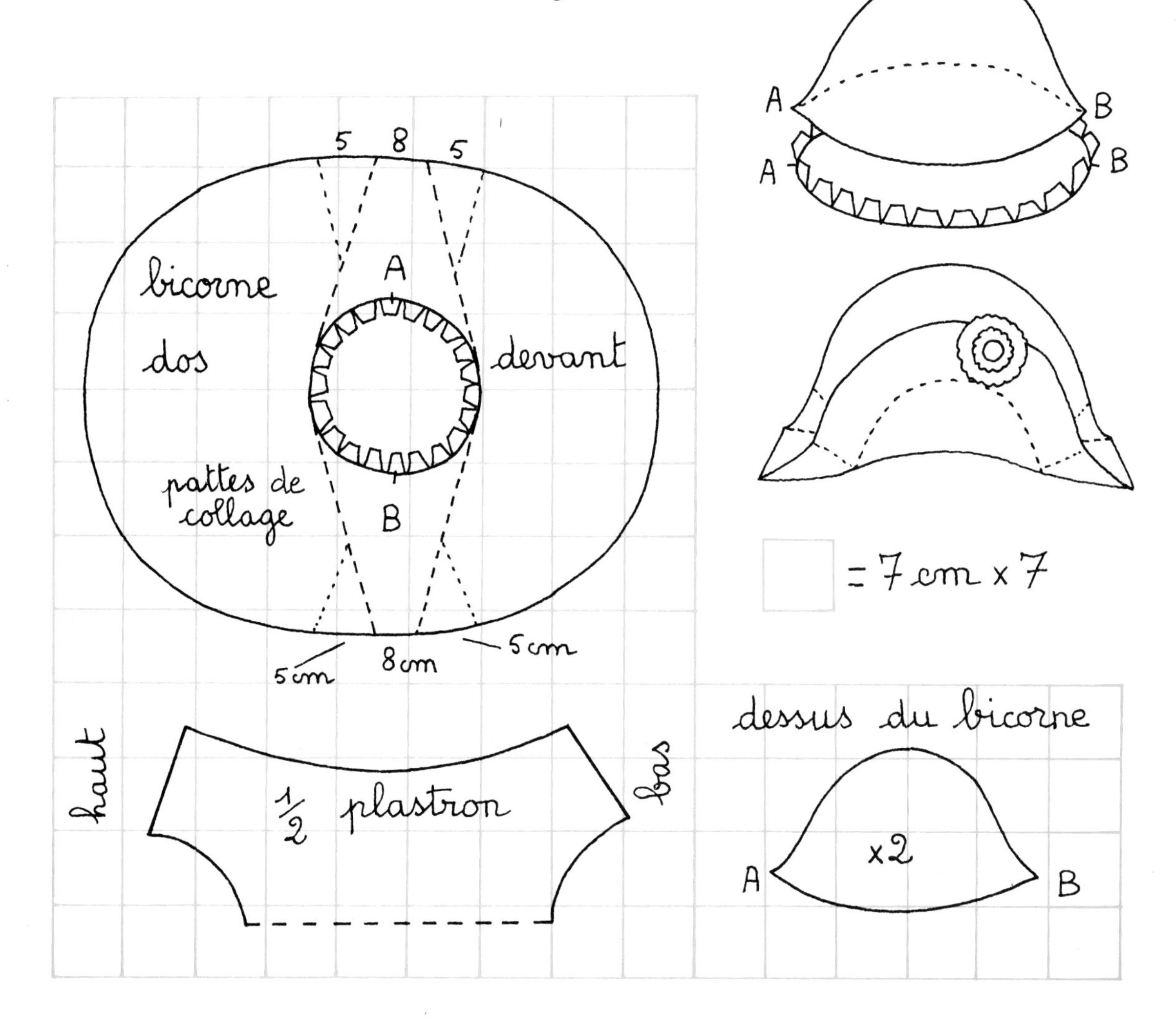

Achevé d'imprimer le 20 décembre 1986
par l'imprimerie Pollina, 85400 LUÇON, France N° 8735
N° d'édition 87008
Dépôt légal février 1987
ISBN 2-215-00923-3
1re édition